29,95

Delicias dulces Veganas

Juan Echenique

LIBSA

Contenido

C/ San Rafael, 4
28108 Alcobendas (Madrid)
Tel.: 91 657 25 80
Fax: 91 657 25 83
e-mail: libsa@libsa.es
www.libsa.es

COLABORACIÓN EN TEXTOS: Juan Echenique y equipo editorial Libsa
EDICIÓN: equipo editorial Libsa
DISEÑO DE CUBIERTA: equipo de diseño Libsa
MAQUETACIÓN: equipo de maquetación Libsa
IMÁGENES: Thinkstock.com, Shutterstock Images, 123 RF y archivo Libsa

ISBN: 978-84-662-3227-2

DL: M 19994-2015

Introducción

En pocos ámbitos alimentarios la filosofía **vegana** tiene más posibilidades de brillar tanto como en el fascinante mundo de los postres. La misma idea de **postres** nos transporta automáticamente a un mundo de pequeños lujos y de **caprichos**, de sabores frescos, dulces, y sorprendentes. La gastronomía tradicional, sin embargo, tiende a ocultar los regalos gustativos de las **frutas** y los azúcares con todo tipo de grasas y proteínas de origen animal, como si el sabor puro de ciertos ingredientes necesitara ser camuflado para volverse aceptable.

La perspectiva vegana rompe completamente con ese contrasentido socialmente impuesto y, desde un punto de vista ético, y beneficioso para la salud, abre las puertas de la imaginación y los sentidos a un universo inagotable de sabores, texturas, y olores. Hay muchos ingredientes que generalmente tenemos al alcance de la mano, que nunca llegamos a degustar plenamente, que tienen el potencial de convertirse en la estrella de muchos postres.

Por otro lado, las restricciones intrínsecas del veganismo sirven de marco de acción para una alucinante búsqueda de sabores a escala internacional; semillas y frutas de África, aromas latinoamericanos, punzantes toques de sabor asiáticos, y otras delicias que jamás llegaríamos a descubrir si nos conformáramos con una dieta tradicional y no comprometida éticamente.

La alimentación vegana conlleva múltiples beneficios para la salud; después de todo, parte del objeto de este movimiento tiene que ver con vivir en una mejor armonía con el medio ambiente. Partiendo de la idea de que el ser humano no es más que otro animal en este planeta, es

VEGAN VEGAN VEGAN

Hay todo un mundo de harinas más allá de la de trigo: espelta, centeno, avena, kamut, almendra, maíz, garbanzos, etc.

lógico suponer que una mejor integración ambiental redundará en una mejor salud, y en mayores índices de felicidad.

Hay una amplia gama de trastornos digestivos y circulatorios que están ligados a una dieta no vegana. Los postres, en particular, son una fuente inagotable de sustancias tóxicas y materias animales adulteradas. El uso de grasas de origen animal para la confección de pasteles y dulces tiende a degenerar en productos de una pureza cada vez menor, en sabores más disimulados y menos creativos, y en platos que constituyen claros ataques contra nuestra salud.

Sin embargo, hay que tener presente que la dieta vegana siempre implica un riesgo de padecer ciertas carencias dietéticas. Por este motivo, un gran porcentaje de estos postres están basados en frutos secos, altos en contenido calórico y proteínico, y hacen uso de harinas y leches variadas que, siguiendo la filosofía vegana, transforman un problema potencial en una ventaja a largo plazo.

Ciertamente, el veganismo nos obliga a cambiar nuestra perspectiva, y a prestar atención a una parte de nuestras vidas que generalmente está olvidada. La idea de que «uno es lo que come», se aplica de una forma mucho más concienciada, inteligente y original que nunca desde la óptica vegana. Si vamos a empezar a dar una importancia especial a las materias que ponemos en nuestras mesas, comenzar por el apasionante mundo de los postres es una idea excelente.

LA PUREZA DE LOS INGREDIENTES

Con la industrialización, y el auge de la comida rápida, nuestras mesas y platos se han visto invadidos de todo tipo de sucedáneos y de productos químicos nocivos para nuestra salud. Elementos tan tóxicos como el aluminio, por ejemplo, pueden encontrarse como impulsor en muchas harinas de panadería tradicional. Los insecticidas que recubren las frutas, sin ir mas lejos, están compuestos de todo tipo de venenos y ni siquiera somos conscientes de todo este peligro que nos rodea.

Las semillas son un pequeño tesoro que pueden incorporarse a la alimentación como rebozado, en ensaladas, dentro de una masa de pan o bizcocho, etc.

De todos los ingredientes tradicionales que generalmente obtenemos llenos de químicos de alta toxicidad, los productos de origen animal son los más contaminados. Los animales que producen estos ingredientes se ven sometidos a todo tipo de tratamientos, inyectados con hormonas de crecimiento innecesarias, y muchas veces tratados de forma claramente inhumana. Todo eso tiene un efecto directo en la pureza y calidad de nuestra alimentación, y por consiguiente un efecto inmediato en nuestra salud.

El modo de vida vegano aspira a una dieta más pura, a una búsqueda de la raíz de la comida, que nos acerque al origen de lo que comemos. La naturaleza está llena de preservantes, antioxidantes y de emulsionantes absolutamente sanos y naturales. No hay necesidad de consumir los productos sintetizados en un

El consumo mínimo diario de frutas y verduras para un adulto se establece por la Organización Mundial de la Salud (OMS) en cinco raciones diarias.

laboratorio, cuando tenemos a nuestro alcance ingredientes tan sanos y naturales como el zumo de limón, que funciona como un antioxidante natural maravilloso.

Toda la fiebre industrial de añadir más y más productos químicos a la comida, de adulterar sabores con esencias engañosas, tiene efectos nocivos en la salud; efectos cuyo alcance no llegamos a entender hasta que abrazamos la dieta vegana.

Cuando prescindimos de las muletas que nos ofrecen los laboratorios gastronómicos, descubrimos que la fruta tiene un sabor mucho más intenso y satisfactorio de lo que jamás nos podríamos haber imaginado, y que cada tipo de azúcar ofrece un mundo nuevo de sabor y color.

Los postres, particularmente la bollería industrial, son reconocidos enemigos de nuestra salud. Tomando el punto de vista vegano nos otorga la increíble seguridad de que una segunda ración de postre después de comer no será mala para la salud, sino más bien al contrario.

GASTRONOMÍA ÉTICA

Una parte esencial del movimiento vegano tiene mucho que ver con una filosofía de vida. La idea del maltrato animal, la concepción de que otras especies animales deban ser explotadas para traer comida a nuestra mesa, se pone en entredicho desde la óptica vegana.

No solo se trata de dejar de consumir carne, y productos directamente extraídos del cuerpo de los animales, como huevos y lácteos, sino también de evitar aquellos productos que claramente implican un cuadro de explotación animal, como la miel.

A pesar de que hay muchas escuelas y teorías al respecto, la base siempre es la misma, y está íntimamente relacionada con una filosofía de respeto por la vida de otras especies animales. Esta filosofía reconoce esas especies como compañeras en nuestro

Los frutos del bosque son ricos en antioxidantes y previenen la hipertensión gracias a sus flavonoides.

HARINAS ALTERNATIVAS

Harina blanca · Harina de trigo integral · Harina leudante · Harina de maíz · Harina de garbanzos · Harina de quinoa · Harina de arroz · Harina de arroz integral · Harina de avena · Harina de almendras.

viaje por la vida, y reconoce al planeta Tierra como el lugar (o incluso la entidad viva) en el que todos convivimos. La búsqueda de una convivencia armónica y de bajo impacto implica un elevado grado de humildad, de compromiso, y de ética. Para muchos, el veganismo es el paso evolutivo lógico del ser humano, un paso de gigante hacia una vida más pura y más comprometida con su entorno.

Desde este punto de vista, asumimos que no somos solo lo que hay dentro de los límites marcados por nuestra piel, sino mucho más que eso. Somos el mundo a nuestro alrededor, y somos la huella que dejamos en el futuro. Somos la consecuencia de las acciones de aquellos que vinieron antes que nosotros, y somos los originadores de la gente del futuro. Entendiendo la vida desde esa postura, la idea de vivir en armonía con nuestro entorno se vuelve algo más que una conclusión lógica: se convierte en un imperativo moral.

HARINAS

La pastelería y la bollería veganas contemplan una perspectiva mucho más amplia que la gastronomía tradicional. Donde harinas integrales, o basadas en diferentes semillas, solían tener un papel casi farmacéutico, el veganismo abre las fronteras, y afronta estos ingredientes desde un punto de vista optimista y casi científico. Los sabores que se pueden extraer de la avena, el arroz, o el maíz, incitan la exploración de nuevos horizontes gastronómicos.

A pesar de que la harina blanca sea un producto perfectamente válido para alguien que siga una dieta vegana, la idea de empujar los límites del sabor y la textura, y buscar nuevas formas de entender la comida, hace que los veganos encabecen el mundo de la investigación de harinas alternativas.

La lista de la izquierda ilustra algunas de las harinas más usadas para confeccionar pastelería y bollería vegana. Cada una de ellas proporciona sabores, texturas, y beneficios para la salud diferentes, y cada una tiene sus peculiaridades.

LECHES DE ORIGEN VEGETAL
Leche de soja · Leche de almendras · Leche de avena · Leche de coco · Leche de arroz.

LECHE

La leche es, tradicionalmente, un alimento de origen animal. Con objeto de encontrar sustitutos viables, se han desarrollado varios tipos de leche alternativa. Sin embargo, a medida que las investigaciones han avanzado, y que cocineros y entusiastas de la dieta vegana han empezado a usar estas leches de origen vegetal, se ha puesto en evidencia que estos productos son mucho más que simples sustitutivos de productos animales; son ingredientes por derecho propio, sin nada que envidiar a los lácteos tradicionales.

En la lista de arriba mostramos algunos de los tipos de leche de origen vegetal más usuales. Todos estos lácteos alternativos son deliciosos, y cada uno tiene sus peculiaridades. Recomendamos probarlos todos en diferentes contextos, y comparar sabores y resultados.

COCINANDO LO QUE NECESITAMOS

Siempre se dice que somos lo que comemos; somos aquello que consumimos, pero también debemos pensar que somos aquello que producimos.

La sociedad contemporánea, con el ritmo frenético que impone en nuestras rutinas, no siempre contempla la realidad de lo que nuestros cuerpos están programados para hacer por su propia naturaleza.

Ha llegado el momento de pensar que es nuestra responsabilidad tomar el control sobre lo que ponemos en nuestras mesas y nuestros estómagos, de darle la primacía e importancia que debe tener en nuestras casas, olvidándonos de ese ritmo de vida tan perjudicial.

Por ese motivo, es muy importante tener siempre una parte de nuestra atención volcada en nuestro interior, escuchando lo que nuestro cuerpo nos pide. Es una filosofía de vida y no una simple dieta. Es un cambio a mejor que, si lo hacemos con dedicación, nos sorprenderá y mucho: con frecuencia nos pedirá cosas que jamás habríamos imaginado, y veremos que necesitamos mucha menor cantidad, pero mucha mayor variedad. En realidad, estaremos cerca de un modo de vida mucho más saludable en el que el ser humano forme parte de lo que le rodea de forma activa sin perjudicarse a sí mismo ni a los demás.

A día de hoy, este tipo de honestidad con nosotros mismos es en realidad un acto de coraje que puede hacer mucho bien a nuestra conciencia, pues el veganismo no es otra cosa que una clara determinación o una prueba concluyente de la voluntad de marcar una diferencia en esta sociedad.

Feliz veganismo.

Masas, tartas y hojaldres veganos

A diferencia de la **repostería tradicional**, en la cual se usan casi exclusivamente diferentes tipos de harina de trigo, la **repostería vegana** utiliza muy diversos granos y semillas finamente molidos para dar a las masas una **textura** y un **sabor** especiales. Si bien estas harinas son menos elásticas y más difíciles de amasar, en cambio aportan más **fibra** y **nutrientes** que las de trigo molido.

En estas recetas haremos todo tipo de masas: una masa tan versátil como la quebrada, también conocida con el galicismo de masa brisa («pâte brisée»), está presente en muchas tartas de frutas o como soporte de otras elaboraciones como los merengues o las cremas. En la elaboración de los bizcochos, se suelen emplear yogures o purés de frutas como el plátano o la manzana. Estos aportan la consistencia que, en la gastronomía tradicional, ofrece el huevo. No podían faltar los hojaldres, en los que resulta sumamente sencillo reemplazar los productos de origen animal por margarina puramente vegetal, cuyo rendimiento en este tipo de masas resulta excelente.

Para la gastronomía vegana no hay límites. A medida que la humanidad toma conciencia de la diferencia entre la alimentación tradicional y la ética, el aporte de experimentación y creatividad crece proporcionalmente.

Deben sumarse al menos dos horas para el **leudado**, aunque este proceso puede ser más **corto en verano**, o si se deja la masa en un lugar **cálido**. Es muy importante tomarse con tranquilidad el tiempo de amasado, ya que es necesario lograr una masa **lisa y elástica**. Para conseguir unas ensaimadas **perfectas**, es indispensable tener un horno con calor arriba y abajo.

Ensaimada de fisalis y canela

DIFICULTAD: alta
CANTIDAD: 12 ensaimadas pequeñas o 2 ensaimadas grandes
TIEMPO: 20 a 25 minutos más 2 horas de leudado

INGREDIENTES

PARA EL RELLENO
- Una taza de fisalis
- 2 cucharaditas de canela
- ½ taza de azúcar blanca

PARA LA MASA
- 3 tazas de harina de trigo
- Una pizca de cúrcuma
- Una cucharada de levadura fresca de panadería
- 2 cucharadas de margarina o aceite
- Una taza de azúcar
- Una taza de leche de soja tibia

PARA HOJALDRAR LA MASA
- 4 cucharadas de margarina blanda o aceite

PARA LA PRESENTACIÓN
- 3 cucharadas de azúcar glas

ELABORACIÓN

RELLENO: poner en una cazuela las fisalis, la canela, ⅔ de vaso de agua y azúcar. Cocinar la fruta a fuego medio hasta que se vuelva blanda y fácil de triturar. Aplastar las fisalis hasta hacerlas puré.

MASA: mientras el relleno se enfría, poner la harina en un bol y añadir la cúrcuma y la levadura fresca en trozos. Deshacer bien la levadura con la harina. Sumarle la margarina y el azúcar e integrar bien todos los ingredientes. A continuación, hacer un hueco en el centro de la masa y verter en su interior la leche de soja tibia. Amasar con las manos procurando recoger con el bollo toda la harina. Engrasar un bol con aceite, poner dentro la masa, taparla con un film y dejarla reposar en un lugar tibio durante una hora o el tiempo necesario para que triplique su volumen. Engrasar la superficie de la mesa con margarina. Estirar la masa con las manos consiguiendo un cilindro largo. Aplastar el cilindro con el rodillo y untarlo generosamente con margarina. Estirar la masa, ensanchando la cinta que se ha formado anteriormente y, una vez que su espesor se haya reducido, poner cerca del borde superior una hilera del puré de fisalis. Enrollar la masa con cuidado, procurando que el relleno quede dentro. Con esto se conseguirá un cilindro largo y fino. Enrollarlo sobre sí mismo en espiral, ponerlo sobre una placa con papel untado con mantequilla, cubrirlo con film y esperar a que duplique su volumen. Luego, hornearlo a 160 °C durante 20 o 25 minutos.

LAS ENSAIMADAS SE SIRVEN ESPOLVOREADAS CON AZÚCAR GLAS. SE PUEDEN ADORNAR PONIENDO UNA FISALIS EN EL CENTRO.

VEGAN VEGAN VEGAN

Las magdalenas son unos postres que se pueden combinar con muchos tipos de **harina**, frutos y frutas diferentes, ya que casi siempre resultan deliciosas. En este caso hemos optado por utilizar harina de **avena** enriquecida con **almendra** molida, añadiéndole a la masa **arándanos** y trocitos de **manzana**.

Magdalenas de avena, almendra, manzana y arándanos

DIFICULTAD: media
CANTIDAD: 15 unidades
TIEMPO: 20 minutos

INGREDIENTES
100 g de harina integral de avena · 150 g de harina integral de trigo · 2 cucharadas de almendra molida · ½ taza de azúcar · Una cucharada de canela · Un pellizco de sal · 1 y ½ sobre de levadura · 4 cucharadas de harina de garbanzos · 250 g de margarina vegetal · Un limón · Una manzana · ½ taza de arándanos

ELABORACIÓN
Mezclar en un cuenco grande las harinas integrales, las almendras molidas, el azúcar, la canela, la sal y la levadura. Disolver la harina de garbanzos en medio vaso de agua.

Calentar la margarina y añadirla al cuenco junto con la harina de garbanzos, la ralladura de limón y su zumo. Cortar la manzana en trozos pequeños, pasarlos por harina y sumarlos a la masa. Añadir también los arándanos bien limpios.

Poner a precalentar el horno. Con la mezcla obtenida, rellenar los moldes de magdalenas hasta la mitad. Hornear a 200 °C durante unos 20 minutos o hasta que la superficie de las magdalenas esté dorada.

Para hacer estas magdalenas se puede elegir como molde un papel especial, con dibujos o de colores, y completar la decoración con una cinta del mismo tono o en un color que contraste.

LAS MAGDALENAS O MUFFINS SON DULCES PERFECTOS PARA DESAYUNOS O MERIENDAS Y SIEMPRE DELICIOSOS PARA ACOMPAÑAR AL TÉ.

La diferencia de sabor entre la leche de **soja** y la leche de **almendras** es muy llamativa. Es posible hacer esta receta cambiando la leche por **yogur** de soja, o incluso por leche de **coco**. Esto cambiará el sabor y dará una nueva dimensión al bizcocho.

Bizcocho vegano de limón

DIFICULTAD: baja
CANTIDAD: 8 porciones
TIEMPO: 30 minutos

INGREDIENTES

PARA EL BIZCOCHO

2 tazas de harina • 2 y ½ cucharaditas de levadura • Una cucharadita de bicarbonato sódico • Una taza de leche de soja o de almendras • ½ taza de aceite vegetal • ½ taza de azúcar moreno • 2 limones

PARA DECORAR

2 limas • Aceite vegetal • ½ taza de azúcar • Azúcar glas al gusto

ELABORACIÓN

BIZCOCHO: mezclar la harina, la levadura y el bicarbonato en un cuenco. Una vez estén bien mezclados, añadir la leche de soja o de almendras, el aceite vegetal, y el azúcar moreno. Mezclar bien, asegurándose de que no quedan grumos. Rallar la cáscara de los dos limones, procurando aprovecharlos al máximo, pues esa ralladura será lo que dé el sabor característico al bizcocho.

Precalentar el horno a 180 °C. Mientras, enharinar un molde de horno. Volcar la mezcla en el molde, y meter en el horno media hora. Pasado ese tiempo, pinchar el bizcocho con un palillo de madera; si el palillo sale seco, el bizcocho está bien hecho por dentro. Si sale húmedo, dejar el bizcocho en el horno cinco minutos más.

COBERTURA: cortar las limas en rodajas finas. Calentar una sartén con un chorrito de aceite vegetal a fuego lento. Añadir las rodajas de lima. Añadir el azúcar y el zumo de los dos limones que hemos usado para el bizcocho. Remover constantemente y con cuidado, procurando que las rodajas se mantengan enteras y sin deformar. Cuando el líquido del fondo de la sartén esté espeso, retirar las limas y el jarabe resultante de la sartén, y dejar enfriar en un plato.

PRESENTACIÓN: una vez que el bizcocho está bien hecho, desmoldar y dejar enfriar. Añadir las rodajas de lima por encima, dejando que el jarabe denso empape el bizcocho. Cuando esté seco, espolvorear con azúcar glas.

PARA LOS ESPÍRITUS AVENTUREROS, SE PUEDE SUSTITUIR UNA CUARTA PARTE DE LA LECHE POR CAFÉ SOLO. TENDRÁ UN EFECTO REFRESCANTE Y SORPRENDENTE.

El **strudel** se sirve espolvoreado con **azúcar glas** y se come recién hecho acompañado de su **helado**. Solo hay que dejarlo **templar** un poco una vez sacado del horno, porque el relleno conserva mucho más el calor que la masa. El **contraste** de temperaturas es su mejor cualidad.

Strudel de manzana y helado vegano

DIFICULTAD: media
CANTIDAD: 8 porciones
TIEMPO: 30-40 minutos

INGREDIENTES

PARA LA MASA

½ taza de agua tibia · ¼ taza de aceite · Una pizca de sal · 2 tazas de harina

PARA EL RELLENO

Una taza de uvas pasas · 2 cucharadas de ron · 1 kg de manzanas · ¾ taza de azúcar

PARA EL ARMADO

⅛ taza de margarina vegetal · Un puñado de pan rallado · ½ cucharada de canela

PARA EL HELADO

2 tazas de anacardos remojados toda la noche · ¾ taza de azúcar · 2 cucharadas de esencia de vainilla · 4 cucharadas de aceite de coco

ELABORACIÓN

MASA: mezclar en un recipiente el agua tibia, el aceite y la sal. Poner en un bol la harina y añadir poco a poco la mezcla anterior hasta obtener un bollo. Taparlo con un paño y dejarlo reposar en un lugar frío mientras se prepara el relleno.

RELLENO: poner en remojo dentro del ron las uvas pasas. Pelar las manzanas y cortarlas en láminas muy finas. Mezclar el azúcar con la canela.
Una vez que las pasas se hayan remojado, quitarles el ron y añadirlas a las manzanas. Sumar la mezcla de azúcar y canela.

ARMADO: precalentar el horno a 190 °C. Estirar la masa con un rodillo sobre un lienzo limpio y enharinado hasta que alcance un tamaño de 25 x 30 cm aproximadamente. Untar su superficie con una capa fina de margarina y espolvorear sobre ella el pan rallado. Extender el relleno sobre la masa dejando 1 o 2 cm de borde limpios para poder cerrar el strudel.
Con ayuda del lienzo, enrollar el strudel, cerrar bien los bordes y untar su superficie con margarina vegana. Hornear de 30 a 40 minutos o hasta que la superficie del strudel esté dorada.

HELADO: triturar bien los anacardos junto con el azúcar y la esencia de vainilla. Una vez que los ingredientes estén bien mezclados y triturados, añadir el aceite de coco y batir nuevamente. Verter la mezcla en un molde y ponerlo en el congelador. Cada tanto, retirarlo y batirlo a fin de evitar la cristalización.

LA MEJOR MANERA DE ENROLLAR MASAS FINAS Y DELICADAS ES ESTIRARLAS SOBRE UN PAÑO LIMPIO O SOBRE UNA HOJA DE PAPEL DE HORNO Y ENROLLAR VALIÉNDOSE DE ELLA.

El **queso vegano** admite diversos elementos que sirven de aromatizantes y que pueden dar un toque sorprendente a las preparaciones que se hagan con ellos. La excepción es que si se emplea **agar agar** para hacerlo, no se puede combinar con ningún ingrediente ácido como, por ejemplo, el zumo de limón o el de naranja, pues no cuajaría.

Crumble de naranja y queso vegano

DIFICULTAD: media
CANTIDAD: 8-10 porciones
TIEMPO: 20 minutos

INGREDIENTES

PARA LA BASE

- 3 cucharadas de aceite
- 3 cucharadas de azúcar

- ½ limón
- ¾ taza de leche de almendras
- ½ taza de harina
- ½ cucharada de levadura

ELABORACIÓN

BASE: antes de hacer la masa, poner a calentar el horno a 180 °C. Poner en un bol el aceite, el azúcar y la ralladura de limón. Mezclar bien los ingredientes y agregar la leche y la harina tamizada con la levadura. Batir bien, de modo que se obtenga una masa fina y cremosa. Volcar la mezcla en una bandeja rectangular o cuadrada, forrada con papel de horno, procurando que su altura sea pareja. Cocinarla durante unos 25 minutos o hasta que esté ligeramente dorada.

RELLENO: poner ¼ de taza de agua al fuego y cuando rompa el hervor, añadir el agar agar. Cocer 30 segundos y apartar del fuego. Poner en un bol todos los ingredientes y triturarlos hasta que en la mezcla sea fina y uniforme. Reservar.

CROCANTE: mezclar todos los ingredientes y trabajar con las manos hasta conseguir una textura arenosa. Si quedan algunos grumos grandes, no es problema, mientras no excedan el tamaño de un guisante. Volcar esta preparación en un recipiente para horno forrado de papel vegetal. Cuando la base de la tarta lleve 10 minutos en el horno, poner también a cocer el crocante. Sacarlo 10 minutos después o cuando esté dorado.

ARMADO: en un recipiente cuadrado o rectangular y forrado con papel de horno, poner la base de la tarta. Sobre esta, volcar el queso de modo que su altura quede pareja. Cubrirlo con una capa de mermelada de naranjas y, sobre ella, espolvorear el crocante. Refrigerar, al menos, durante 12 horas para que el queso cuaje.

EL CROCANTE SE PUEDE REEMPLAZAR POR ARROZ INFLADO O POR OTRO TIPO DE CEREALES.

INGREDIENTES

PARA EL CROCANTE

- ½ taza de harina
- ½ taza de azúcar
- ½ taza de margarina

INGREDIENTES

PARA EL RELLENO

- 3 cucharadas de agar agar
- Una y ½ tazas de anacardos
- 4 cucharadas de lecitina de soja
- 3 cucharadas de miso blanco
- Una pizca de sal
- Un bote de mermelada de naranjas

La tarta de zanahorias es un **clásico inglés**, muy popularizado en Estados Unidos, que tiene también su lugar en la repostería vegana. Existen múltiples **variantes** de esta exquisita tarta y entre las más apreciadas, sin duda, está la que combina el dulzor de la zanahoria con el sabor de la **nuez**.

Tarta de zanahoria, nueces y canela

DIFICULTAD: media
CANTIDAD: 8 porciones
TIEMPO: 1 hora

INGREDIENTES

PARA LA TARTA

3 tazas de harina integral · Una cucharadita de levadura química · Una cucharadita de bicarbonato de soda · Una taza de azúcar moreno · ½ cucharadita de sal · Una cucharadita de canela · Una taza de agua · ¾ de taza de aceite de semillas · Una cucharadita de vainilla líquida · 3 tazas de zanahoria rallada · Una taza de nueces

PARA LA COBERTURA

Una taza de yogur de soja · 4 tazas de azúcar glas · 2 cucharadas de harina de maíz · 3 cucharadas de azúcar moreno · 3 cucharadas de nueces picadas · 3 cucharadas de zanahoria rallada · ½ cucharadita de canela

ELABORACIÓN

TARTA: precalentar el horno a 180 °C. Tamizar dentro de un bol la harina junto con la levadura y el bicarbonato. Añadir el azúcar, la sal y la canela. Agregar al bol el agua, el aceite, la vainilla, las zanahorias y las nueces troceadas. Remover suavemente los ingredientes con una cuchara de madera hasta que estén integrados.

Enmantecar un molde para horno (o usar uno de silicona) y verter la masa en su interior, Hornear aproximadamente durante una hora.

COBERTURA: mezclar el yogur con el azúcar y la maicena, ponerlo en un cazo y calentarlo a fuego lento, revolviendo con una pala de madera, hasta que tenga una textura más espesa. Dejar enfriar y luego cubrir con esta crema todo el bizcocho.

Mezclar tres cucharadas de azúcar moreno, tres de nueces picadas, las tres cucharadas de zanahorias ralladas y la canela.
Esparcir esta mezcla sobre la tarta.

RECORTANDO EN UN PAPEL LA SILUETA DE UNA FIGURA Y PONIÉNDOLO SOBRE LA TARTA, SE PUEDE ESPOLVOREAR LA NUEZ PARA FORMAR EL DIBUJO.

Para preparar la **cobertura** de esta tarta es necesario abrir la lata de **leche de coco** un mínimo de ocho horas antes de hacerla. Lo ideal es abrirla con 24 horas de antelación. Cuanto mayor sea el porcentaje de coco, menor será la cantidad de agua que contenga.

Bizcocho con crema y fresas frescas

DIFICULTAD: baja
CANTIDAD: 8-10 porciones
TIEMPO: 35 minutos

INGREDIENTES

PARA EL BIZCOCHO

2 yogures de soja • Una y ½ tazas de leche de soja • Una taza de aceite de semillas • Ralladura de ½ limón • Una taza de azúcar moreno • 2 tazas de harina de trigo blanca • Una cucharada de levadura química

PARA EL RELLENO

Una lata de leche de coco cremosa • ¼ taza de azúcar glas • Una taza de fresas

ELABORACIÓN

BIZCOCHO: engrasar y enharinar un molde redondo y encender el horno para precalentarlo a 180 °C. Poner en un bol los ingredientes líquidos y la ralladura de limón y mezclarlos. Añadir el azúcar y, cuando esté disuelta, sumar la harina tamizada con la levadura. Batir hasta obtener una crema fina. Volcar la mezcla en un molde previamente engrasado y enharinado y hornear durante 35 minutos. Comprobar con un palillo si el interior está cocido y retirarla del horno.

RELLENO: abrir la lata de leche de coco y dejarla en la nevera, abierta, un mínimo de ocho horas. Al finalizar este tiempo, se podrá observar que en la superficie se han juntado los elementos sólidos en tanto que en el fondo, ha quedado el agua de coco. Con cuidado de no mezclar ambos elementos, sacar con una cuchara la pasta sólida y ponerla en un bol. Batirla con varillas procurando que no suba su temperatura. En verano, esta operación conviene realizarla poniendo el bol sobre una capa de hielo. Cuando la pasta tome un aspecto cremoso, añadirle el azúcar.

ARMADO: cortar el bizcocho en dos capas (o en más, si se desea). Untar la base con una porción generosa de nata de coco y poner la mitad de las fresas cortadas en trozos del tamaño de un garbanzo. Cubrirlas con un poco más de nata y poner encima la parte superior del bizcocho. Usar el resto de la nata para decorar toda la superficie y adornar con las fresas que han quedado, partidas al medio o en cuartos si son muy grandes.

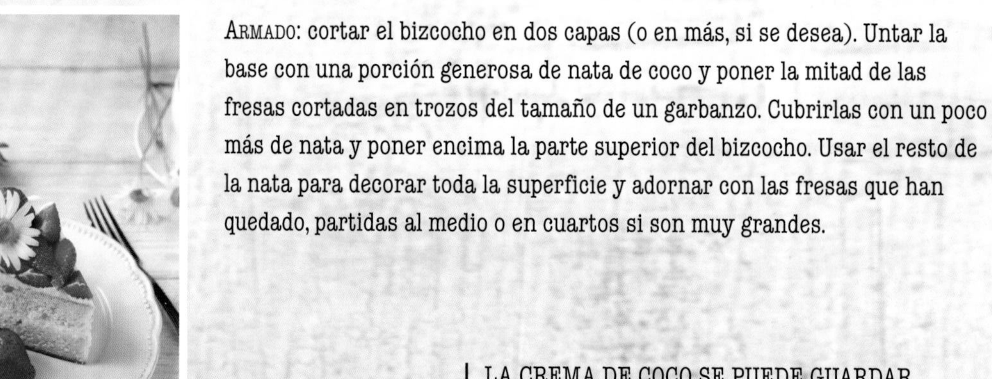

LA CREMA DE COCO SE PUEDE GUARDAR EN LA NEVERA, PERO SI SE DEJA MUCHO TIEMPO SE ENDURECE, EN CUYO CASO HABRÁ QUE VOLVERLA A BATIR.

Antes de hacer la tarta, es muy importante tener en cuenta que el **ruibarbo** tiene solo una parte comestible: el **pecíolo** de sus hojas (popularmente llamado tallo). Se distingue fácilmente porque su color va del verde rojizo al rojo intenso. El resto de la **hoja** debe desecharse porque contiene sustancias **tóxicas**.

Tarta de ruibarbo y menta

DIFICULTAD: baja
CANTIDAD: 8-10 porciones
TIEMPO: 55 minutos

INGREDIENTES

PARA LA MASA

1 y ½ tazas de harina • 3 cucharadas de azúcar glas

• ½ cucharadita de sal • Una taza de margarina • 3 cucharadas de agua fría

PARA EL RELLENO

3 tazas de ruibarbo • Un limón • ½ taza de azúcar blanco • 2 cucharadas de azúcar moreno • 3 cucharadas de fécula de maíz • 5 hojas de menta fresca

ELABORACIÓN

TARTA: poner en un bol los elementos secos y añadir la margarina cortada en cubos pequeños. Trabajar estos ingredientes con un cuchillo ancho y, cuando queden solo grumos pequeños, romperlos con la punta de los dedos hasta obtener una textura arenosa. Añadir el agua bien fría e integrarla formando un bollo. Cubrirlo con film de cocina y guardarlo en la nevera al menos media hora.

Engrasar un molde. Estirar la masa sobre papel de cocina hasta que solo tenga 3 mm de espesor. Guardarlo nuevamente en la nevera durante media hora. Forrar el molde engrasado con la masa que se ha estirado y cortar la masa sobrante para hacer con ella el enrejado. Pinchar con un tenedor la base de la tarta y volver a refrigerar media hora.

RELLENO: raspar el ruibarbo y quitarle los hilos. Cortarlo en rodajas de medio centímetro y ponerlo en un bol. Añadirle el zumo de limón y los dos tipos de azúcar, removiendo bien. Cuando en el fondo del bol se observe que el ruibarbo ha soltado el jugo, añadir las tres cucharadas de fécula de maíz. Picar finamente las hojitas de menta y añadirlas al relleno.

ARMADO: diez minutos antes de sacar la masa de la nevera, encender el horno a 200 °C. Volcar el relleno dentro del molde forrado con la masa. Estirar el bollo restante y cortarlo en tiras. Hacer con ellas un enrejado sobre la tarta. Introducir la masa en el horno precalentado a 200 °C y, a los 20 minutos, bajar la temperatura a 160 °C y seguir cociendo 35 minutos más.

PARA ATENUAR LA ACIDEZ DEL RUIBARBO, LA TARTA SE PUEDE ESPOLVOREAR CON UN POCO DE AZÚCAR GLAS.

Las **frutas del bosque** son una opción estupenda para rellenar tartas finas, como la que aquí se presenta. En este caso se han utilizado **grosellas**, pero también se puede hacer con arándanos, frambuesas e, incluso, fresas. Siempre será un postre muy apetecible y muy **sano**.

Tarta fina de grosellas y menta

DIFICULTAD: baja
CANTIDAD: 8 porciones
TIEMPO: 25 minutos

INGREDIENTES

Para el relleno y armado

- 2 tazas de leche de soja o de almendras
- 3 cucharaditas de fécula de maíz

- 2 cucharadas de azúcar
- 5 hojas de menta frescas
- ½ cucharadita de cúrcuma
- ½ cucharadita de vainilla
- Una taza de grosellas

ELABORACIÓN

Relleno: disolver en ½ taza de leche de soja o de almendras la fécula de maíz y poner el resto de la leche al fuego, con el azúcar, la menta, la cúrcuma y la vainilla. Cuando rompa el hervor, quitar las hojas de menta y añadirle el contenido de la taza en la que se ha disuelto la fécula. Removerlo hasta que espese y dejarlo enfriar.

Masa: mezclar en un bol la harina, la levadura, el azúcar y la sal. Añadir la margarina bien fría y trabajarla con la punta de los dedos hasta que desaparezcan los grumos. La textura de la mezcla debe ser arenosa. Incorporar el agua muy fría (para que la mantequilla mantenga su textura) y formar una masa suave mezclando apenas los ingredientes. Debe evitarse que el calor de las manos distorsione la mezcla. Guardar en la nevera al menos una hora antes de utilizarla.

Estirar la masa bien fina y cubrir un molde aceitado. Pinchar su superficie con un tenedor para que no haga burbujas ni se deforme al cocinarse, o bien ponerle un puñadito de garbanzos secos o judías antes de llevarla al horno. Cocer la tarta a 180 °C durante 20 o 25 minutos.

Armado: retirar los garbanzos o judías que se hayan empleado, cubrir su superficie con la crema y, luego, disponer sobre ella las grosellas. Las grosellas adornan por sí solas esta tarta, pero se puede completar la decoración con algunas hojitas de menta.

LA GROSELLA ES UNA AUTÉNTICA PÍLDORA NATURAL DE VITAMINA C, EN ESPECIAL LA GROSELLA NEGRA.

INGREDIENTES

Para la masa

- 2 tazas de harina
- Una cucharadita de levadura
- 2 cucharadas de azúcar
- ½ cucharadita de sal
- ¾ taza de margarina o aceite vegetal
- ¼ taza de agua fría

Para este tipo de masa, (**masa quebrada**) es recomendable trabajar los ingredientes con un **cuchillo**, ya que el calor de las **manos** estropearía el resultado. Solo cuando queden grumos pequeños se rompen con la punta de los dedos.

Tarta invertida de albaricoques

DIFICULTAD: baja
CANTIDAD: 8 porciones
TIEMPO: 35 minutos

INGREDIENTES

PARA LA MASA

- 1 y ½ tazas de harina
- 3 cucharadas de azúcar glas
- ½ cucharadita de sal
- Una taza de margarina o de aceite vegetal
- 3 cucharadas de agua fría

PARA EL RELLENO

- 10 albaricoques grandes y bien maduros
- 2 cucharadas de margarina vegana
- 2 cucharadas de azúcar moreno
- 4 cucharadas de agua

ELABORACIÓN

MASA: mezclar todos los ingredientes secos en un bol y añadir la margarina, lo más fría posible, cortada en trozos pequeños. Con ayuda de un cuchillo de hoja ancha, mezclar los ingredientes deshaciendo todos los grumos. Cuando solo queden trozos pequeños, con ayuda de la punta de los dedos, romperlos hasta conseguir una textura arenosa. Añadir el agua bien fría, amasar (preferiblemente sobre un mármol o superficie fría) y en cuanto el bollo esté integrado, cubrirlo con un film y dejarlo media hora en la nevera.

RELLENO: Lavar los albaricoques, cortarlos en mitades y quitarles el hueso. Poner la margarina y el azúcar moreno en una sartén y remover hasta que el azúcar se haya disuelto. Añadir agua y remover. Poner los albaricoques con la parte interna hacia arriba en la sartén, bajar el fuego y cocerlos tapados durante unos 15 minutos. Cada tanto, mover la sartén para que no se peguen. Comprobar con un tenedor que están blandos y apagar el fuego.

ARMADO: con ayuda de una pinza de cocina o de una cuchara, depositar las mitades de albaricoque, una a una, en el fondo de un molde de horno, con la parte interna hacia abajo. Cubrir con ellos toda la superficie.
Rociar los albaricoques con dos o tres cucharadas de la salsa que ha quedado en la sartén y espolvorear con un poco de canela (optativo). Estirar la masa y cubrir con ella los albaricoques, presionando alrededor del borde para que los frutos queden dentro y hacer un borde. Pinchar la masa para y hornear a 180 °C durante unos 20 minutos o hasta que la superficie de la masa esté dorada. Dejar templar un poco, sacudiendo cada tanto el molde para que el azúcar no se pegue, y desmoldar en un plato.

ESTA ES UNA VERSIÓN VEGANA DE LA FAMOSA TARTA TATÍN: EN ESTE CASO, EN LUGAR DE LAS TRADICIONALES MANZANAS, ES DE ALBARICOQUES.

En **invierno** resultan ideales las tartas que incorporan frutos del bosque. La receta que se explica a continuación puede hacerse con **fresas** silvestres, **frambuesas**, **arándanos** rojos o **grosellas**, según sea la disposición que tengamos de estos exquisitos frutos y bayas.

Tarta de yogur vegano y frutos rojos

DIFICULTAD: baja
CANTIDAD: 8 porciones
TIEMPO: 30 minutos

INGREDIENTES

PARA LA TARTA

- Un yogur de soja
- 3 medidas de harina

- Una medida y ½ de fructosa
- Una medida de aceite
- Una cucharada de levadura
- ½ taza de leche de soja
- Una pizca de sal
- Un limón

ELABORACIÓN

TARTA: engrasar y enharinar un molde redondo y encender el horno para precalentarlo a 200 °C.

Mezclar todos los ingredientes en un bol sin llegar a batir excesivamente. Extender la masa y forrar con ella un molde para tartas, pinchándola con un tenedor para evitar que se infle. Hornear durante 30 minutos aproximadamente. Comprobar con un palillo o con la punta de un cuchillo si el interior está cocido.

Si la superficie del bizcocho estuviera dorada, pero el interior crudo, cubrirla con una hoja de papel de aluminio procurando que esta no toque la masa y, al mismo tiempo, bajar la temperatura del horno a 180 °C.

COBERTURA: dejar los anacardos en remojo la noche anterior. Triturar los anacardos con el extracto de vainilla, el yogur, la leche de avena y la mitad de las frambuesas y verter la preparación sobre la tarta ya cocida. Adornar la tarta con unas hojitas de menta o hierbabuena fresca y un par de cucharadas de azúcar glas.

AÑADIENDO UNAS HOJAS DE MENTA, DAMOS A LOS COMENSALES LA OPCIÓN DE JUGAR CON CONTRASTES DE SABOR, DANDO UNA DIMENSIÓN INTERACTIVA AL POSTRE.

INGREDIENTES

PARA LA COBERTURA

- ½ taza de anacardos
- ½ cucharadita de vainilla
- 6 cucharadas de yogur de soja
- Una cucharada de leche de avena
- Una taza de frambuesas

El **chocolate** es un alimento muy completo, con múltiples propiedades **medicinales**. Ayuda a prevenir enfermedades cardiovasculares, recupera en estados de ánimo depresivos porque facilita la producción de **endorfinas** y tiene sustancias excitantes. Pero dado su alto contenido en **grasas** hay que tomarlo con moderación.

Muffins veganos de café y chocolate

DIFICULTAD: baja
CANTIDAD: 12 unidades
TIEMPO: 22-25 minutos

INGREDIENTES
Una taza de leche de arroz · Una y ½ cucharadas de café instantáneo · 2 tazas de harina

· 1 y ½ cucharaditas de levadura · Una pizca de sal · ¾ taza de puré de remolacha · ¼ taza de azúcar moreno · ⅓ taza de aceite de semillas · Una cucharada de vinagre de sidra · ½ taza de chocolate al 80%, rallado

ELABORACIÓN
Calentar la leche y, antes de que rompa el hervor, retirarla del fuego y añadirle el café removiendo bien.

Encender el horno a 190 °C y engrasar los moldes para muffins.

Mezclar en un bol la harina, la levadura y la sal. En otro, mezclar el puré de remolacha con el resto de los ingredientes (no hacer esta operación hasta que la leche no se haya templado). Juntar los ingredientes de ambos boles y removerlos con una espátula de madera. No se trata de batirlos, sino solo de mezclarlos. Llenar con la crema obtenida los moldes, pero solo en sus dos terceras partes, ya que en el horno los muffins crecerán.

Cocinar de 22 a 25 minutos y, tras comprobar con la punta de un cuchillo que se han cocinado adecuadamente, retirarlos del horno. Dejarlos enfriar durante cinco minutos, retirarlos del molde y dejarlos sobre una rejilla para que terminen de enfriar.

PUEDEN SERVIRSE CON UN TOQUE DE NATA VEGANA, CON HELADO, YOGUR O SIMPLEMENTE ESPOLVOREADOS CON AZÚCAR GLAS.

Para lograr que esta tarta tenga un sabor a **coco** más acentuado, es necesario sustituir parte del agua por **leche de coco**. Por el contrario, si se desea que su sabor sea más suave, sustituir los 50 ml de leche de coco por **agua** o por **leche de avena**, con un sabor menos pronunciado.

Bizcocho de sésamo negro y coco

DIFICULTAD: media
CANTIDAD: 8 porciones
TIEMPO: 25 minutos

INGREDIENTES

Una taza de agua • 2 cucharadas de leche de coco • 2 cucharadas de almendras molidas • Una pizca de sal • 2 cucharadas de manteca de coco • 2 puñados de coco rallado • Una taza de harina de arroz integral • 2 cucharaditas de bicarbonato • 3 cucharadas de jarabe de arce • 3 cucharadas de semillas de sésamo negro

ELABORACIÓN

Precalentar el horno a 180 °C y engrasar y enharinar el molde que se empleará para hacer la tarta (si se usa un molde de silicona, no será necesario engrasarlo).

Poner el agua y la leche de coco en un bol y, con la ayuda de un batidor de varillas, añadir y mezclar la harina de almendras, la sal, la manteca de coco, el coco rallado y, finalmente, la harina de arroz.

Batir bien hasta lograr una masa uniforme. Añadir el bicarbonato y el jarabe de arce y, finalmente, las tres cucharadas de sésamo negro removiendo la mezcla para que se distribuyan bien.

Cocer en el horno durante unos 40 minutos. Antes de retirarla, comprobar que en su interior esté completamente seca.

UNA VARIANTE INTERESANTE PARA ESTA TARTA CONSISTE EN SUSTITUIR LAS SEMILLAS DE SÉSAMO NEGRO POR SEMILLAS DE AMAPOLA.

La **quinoa** es uno de los alimentos más sanos que existen y ha sido utilizado desde tiempos muy remotos por los habitantes de **Bolivia y Perú**. Además de sus nutrientes, aporta con su fibra una rápida sensación de **saciedad**, lo que convierte a su **harina** en un formidable aliado de las dietas para adelgazar.

Tarta de plátano, con harina de quinoa y nueces

DIFICULTAD: media
CANTIDAD: 8 porciones
TIEMPO: 1 hora y 30 minutos

INGREDIENTES

- Una taza de harina de arroz integral
- Una taza de harina de quinoa
- Una cucharadita al ras de bicarbonato de sodio
- ¼ cucharadita de sal
- ¾ taza de azúcar demerara
- ½ taza de aceite de semillas
- 5 plátanos maduros
- ½ taza de nueces picadas

ELABORACIÓN

Tamizar en un bol las dos harinas junto con el bicarbonato y la sal y añadir el azúcar y el aceite. Batir suavemente la mezcla hasta que sea homogénea. Pelar los plátanos y pisarlos con un tenedor hasta obtener un puré, y añadirlos a la mezcla anterior. Sumar la mitad de las nueces bien picadas y revolver hasta conseguir una mezcla uniforme.

Precalentar el horno a 160 °C y engrasar con aceite o margarina un molde con borde alto, ya que la masa cruda solo debe llenar la mitad.
Volcar la masa en el molde y llevarla al horno. Normalmente la torta está cocida a los 60 minutos, sin embargo cuando hayan pasado 50, conviene clavar en su centro la punta de un cuchillo o una brocheta para comprobar si ya está cocida. Cuando el cuchillo salga limpio, retirarla del horno y dejarla enfriar antes de desmoldarla.

Adornarla con las nueces picadas que se han reservado.

SI SE QUIERE OBTENER UN SABOR MÁS ACENTUADO DEL AZÚCAR DE CAÑA, SUSTITUIR EL AZÚCAR DEMERARA POR AZÚCAR MOSCABADO.

Las **semillas de chía** son una fuente excelente de **fibra**, antioxidantes, **calcio**, proteínas y ácidos grasos **omega 3**. En la gastronomía vegana se suelen emplear estas semillas en **sustitución** de los **huevos** con excelentes resultados.

Muffins de avena y leche de soja

DIFICULTAD: media
CANTIDAD: 8 unidades
TIEMPO: 20 minutos

INGREDIENTES

- Una cucharada de semillas de chía
- 4 cucharadas de agua
- 1 y ½ tazas de harina de avena
- Una cucharada de levadura
- ½ cucharadita de canela en polvo
- ¾ taza de azúcar de coco
- ½ taza de leche de soja
- ⅓ taza de aceite de coco
- Una cucharada de copos de avena

ELABORACIÓN

Mezclar una cucharada de semillas de chía con el agua y enfriar en la nevera durante 15 minutos o hasta que se forme una mezcla densa.

Tamizar los ingredientes secos en un bol y en otro, verter la leche de soja, el aceite y la mezcla de semillas de chía que se han guardado en la nevera. Juntar los ingredientes secos con los húmedos y revolver la mezcla bien con una espátula.

Poner en una bandeja los moldes para muffins y con la ayuda de una cuchara, llenarlos hasta la mitad. Espolvorear sobre cada uno algunos copos de avena y hornear durante 20 minutos s 180 °C.

Antes de retirarlos del horno, comprobar con un palillo o con la punta de un cuchillo si en su interior están completamente cocidos.

ESTOS DELICIOSOS MUFFINS SON IDEALES PARA EL DESAYUNO PORQUE APORTAN MUCHOS NUTRIENTES A LA VEZ QUE RESULTAN LIGEROS Y FÁCILES DE DIGERIR.

La mandarina es, sin duda, el **cítrico** menos empleado en la pastelería, porque su sabor es muy nítido y característico. Por el contrario, en la pastelería vegana tiene también su lugar, ya que es una fuente excelente de **vitamina C** que da un sabor diferente a preparaciones más tradicionales.

Bizcocho de mandarinas

DIFICULTAD: media
CANTIDAD: 8 porciones
TIEMPO: 20 minutos

INGREDIENTES
2 cucharadas de margarina • Una cucharadita de esencia de vainilla • 3 cucharadas de azúcar demerara • 1 y ½ tazas de agua • 2 cucharadas de almendras molidas • Una pizca de sal • ½ taza de harina de maíz • 2 cucharadas de harina de castañas • 2 cucharaditas de bicarbonato de soda • 5 mandarinas

ELABORACIÓN
Encender el horno a 180 °C y engrasar y enharinar un molde rectangular y con bordes altos.

Batir la margarina con la vainilla y el azúcar hasta obtener una mezcla cremosa. Añadir el agua y tamizar en el mismo bol las almendras molidas, la sal, las harinas y el bicarbonato de soda. Mezclar todos los ingredientes hasta obtener una masa homogénea.

Pelar las mandarinas y luego los gajos, uno a uno. Reservar nueve gajos ya pelados para decorar y mezclar el resto con la masa. Verter la mezcla en el molde y hornear durante unos 20 minutos.

Antes de sacar el bizcocho del horno, clavar en el centro la punta de un cuchillo o un palo de brocheta para comprobar que esté totalmente cocido. Retirarlo del horno y servirlo a temperatura ambiente.

Adornar el bizcocho con los gajos de mandarina reservados y con unas hojitas de menta fresca para lograr un agradable contraste de colores.

SERVIR ADORNADO CON HOJAS DE MENTA, Y ACOMPAÑADO CON INFUSIÓN DE FRUTAS DEL BOSQUE, O TÉ CON LIMÓN PARA UN EFECTO COMPLETO.

Esta deliciosa tarta tiene una excelente **presentación** y luce más cuando se hornea sobre **molde cuadrado** o rectangular, ya que resulta más fácil ordenar con gracia los trozos de **ciruela**. También se puede hacer sustituyendo las ciruelas por **albaricoques** o por **uvas**.

Torta vegana de ciruelas y nueces

DIFICULTAD: media
CANTIDAD: 8 porciones
TIEMPO: 25 minutos

INGREDIENTES

- 3 cucharadas de aceite de girasol
- 3 cucharadas de azúcar moreno

- Ralladura de ½ limón
- ¾ taza de leche de soja
- 4 cucharadas de harina
- Una cucharadita de levadura
- 2 tazas de ciruelas rojas
- ¾ taza de nueces

ELABORACIÓN

Poner en un bol el aceite, el azúcar y la ralladura de limón. Mezclar bien estos ingredientes y sumarles la leche.

Tamizar la harina con la levadura y añadirla a la mezcla anterior, batiendo enérgicamente hasta obtener una masa fina y cremosa.

Forrar una bandeja de horno con papel vegetal y encender el horno a 180 °C. Lavar bien las ciruelas y cortarlas en gajos desechando los huesos. Partir las nueces en cuartos (o en trozos más pequeños). Volcar la mezcla en la bandeja que se ha forrado y, sobre ella, poner ordenadamente los trozos de ciruela tal como se ve en la foto.

Esparcir sobre las ciruelas las nueces y llevar la bandeja al horno. Cocinar la torta durante unos 25 minutos o hasta que los bordes de masa estén ligeramente dorados.

LAS TARTAS QUE CONTIENEN FRUTOS SECOS O UVAS PASAS, SON ESTUPENDAS PARA LOS MOMENTOS DE ACTIVIDAD INTENSA PORQUE RESULTAN ALTAMENTE ENERGIZANTES.

A pesar de sus ciertas reminiscencias **navideñas**, este postre funciona perfectamente como **desayuno** o **merienda** en cualquier época del año. La inclusión de **uvas pasas** y de **nueces** picadas le dan un aporte extra de **energía** que agradecen los pequeños de la casa.

Plumpudding con salsa de vainilla

DIFICULTAD: media
CANTIDAD: 8 porciones
TIEMPO: 35 minutos

INGREDIENTES
¾ taza de azúcar • 3 cucharadas de margarina • 1 y ½ tazas de harina de trigo • ¾ taza de

harina de avena • Una cucharada de levadura • 2 manzanas • Una naranja • 2 cucharadas de uvas pasas negras, uvas pasas sultanas, nueces picadas y fruta confitada • 1 y ½ tazas de leche de soja • 3 cucharadas de azúcar • 2 cucharadas de fécula de maíz

ELABORACIÓN
Antes de empezar a hacer la masa, encender el horno a 180 °C y engrasar y enharinar el molde que se utilizará para hacer el plumpudding.

Poner en un bol el azúcar y la margarina y batir hasta lograr una crema uniforme. Tamizar las harinas junto con la levadura y añadirlas al bol. Una vez que se hayan integrado con la crema de margarina, sumar las manzanas previamente ralladas, la ralladura de una naranja y el zumo de media naranja. Batir nuevamente hasta obtener una crema homogénea.

Por último, agregar las uvas pasas, las nueces y la fruta confitada cortada en trozos pequeños. Volcar la preparación en el molde y cocinar durante 35 minutos. Antes de retirar el pudding del horno, comprobar con la punta de un cuchillo que su interior está cocido.

SALSA DE VAINILLA: separar medio vaso de leche de soja (mejor con sabor a vainilla) y poner el resto a fuego moderado con el azúcar. Disolver las dos cucharadas (rasas) de fécula en la leche reservada. Cuando la leche que está al fuego comience a hervir, agregarle la que se ha mezclado con fécula y apagar el fuego. Continuar batiendo unos minutos para que no se pegue al fondo.

PARA DAR UN ASPECTO MÁS APETITOSO, SE PUEDE TEÑIR LA SALSA DE VAINILLA CON UNA PIZCA DE CÚRCUMA EN POLVO.

Aunque en esta receta se han utilizado melocotones en **almíbar**, también se puede hacer con **fruta fresca**. En este caso, si los melocotones no están muy tiernos, conviene darles un **hervor** antes de incorporarlos al queso o quedarán demasiado rígidos.

Tarta de queso vegano y melocotones

DIFICULTAD: media
CANTIDAD: 8 porciones
TIEMPO: 25 minutos

INGREDIENTES
PARA EL RELLENO
Una lata de melocotones en almíbar • Una taza de leche de soja • 4 cucharadas de fécula de patata • 2 cucharaditas de

carragenato en polvo • 4 cucharadas de yogur vegano • 6 cucharadas de aceite de semilla • ½ cucharadita de sal • Azúcar glas

ELABORACIÓN
MASA: encender el horno y precalentarlo a 180 °C. Poner en un bol el azúcar, el aceite, la media cucharadita de vainilla y la leche de almendras. Mezclar bien estos ingredientes añadirles la harina tamizada con la levadura. Batir hasta obtener una masa cremosa y sin grumos. Volcar la mezcla en un molde para horno desmontable previamente engrasado y dejarla en el horno durante unos 25 minutos o hasta que esté ligeramente dorada. Antes de retirarla del horno, comprobar con un mondadientes si está completamente cocida. Desmoldar la tarta y dejarla enfriar. Con sumo cuidado, cortarla por el medio haciendo dos capas.

RELLENO: mezclar en un cazo dos cucharadas de almíbar de los melocotones con media taza de leche de soja. Añadir la fécula y el carragenato. Mezclar batiendo bien y añadir el yogur, el aceite y la sal y mezclar bien. Poner en el fuego y, una vez que empiece a hervir, bajar la llama y seguir cociendo a fuego medio durante 10 minutos, removiendo la mezcla constantemente con una cuchara de madera. Una vez retirada la mezcla del fuego, añadirle trocitos de melocotón en almíbar y remover hasta que se integren.

ARMADO: poner la mitad superior de la tarta boca abajo en el mismo molde desmontable en el que se coció. Volcar encima el relleno antes de que esté totalmente frío y cubriro con la otra mitad de la tarta. Guardar en la nevera hasta que el queso haya cuajado. Dar la vuelta a la tarta en un plato abriendo el aro del molde y cubrirla con una cucharada de azúcar glas.

ENTRE LOS TÉS MÁS RECOMENDABLES PARA TOMAR CON ESTA TARTA SE PUEDEN MENCIONAR EL TÉ DE MENTA Y EL TÉ DE JAZMÍN.

INGREDIENTES

Para la masa

- 6 cucharadas de azúcar
- 6 cucharadas de aceite
- ½ cucharadita de vainilla líquida
- 2 tazas de leche de almendras
- Una taza de harina
- Una cucharadita de levadura

Una forma fácil de **cortar** las tartas en **capas** perfectas consiste en pasar a su alrededor un **hilo fino de nailon**. Haciéndole un **nudo**, a medida que este se cierra, la tarta se va cortando de forma pareja y corriendo un menor riesgo de roturas.

Torta de bizcocho en capas con grosellas negras y crema de limón

DIFICULTAD: media
CANTIDAD: 8 porciones
TIEMPO: 30 minutos

INGREDIENTES

PARA EL BIZCOCHO

Una taza de leche de avena • ¾ taza de azúcar • 4 cucharadas de aceite • Una taza de harina integral • Una cucharada de levadura • Un limón

PARA EL RELLENO Y COBERTURA

Un yogur de soja • Una tarrina de nata de soja • 3 cucharadas de azúcar • Una taza de grosellas rojas

ELABORACIÓN

BIZCOCHO: precalentar el horno a 180 °C y engrasar y enharinar el molde que se utilizará para la tarta. Conviene que tenga bordes altos y diámetro no mayor de 20 cm.

En un bol, mezclar con unas varillas la leche de avena (que puede sustituirse por otra leche vegetal) el azúcar (mejor demerara) y el aceite (mejor si es de semillas). Tamizar en otro bol la harina con la levadura y añadirle la ralladura del limón. Mezclar el contenido de ambos boles, remover sin agitar demasiado.

Verter la masa en el molde que se ha preparado y hornearla durante 30 minutos. Comprobar con la punta de un cuchillo que la tarta está bien cocida, retirarla del horno y dejarla enfriar antes de cortarla en tres capas.

RELLENO Y COBERTURA: batir el yogur con la nata, el azúcar y el zumo del limón que sobró de hacer el bizcocho, hasta tener una consistencia suave y cremosa. Untar con esta crema las capas, una a una, y añadir entre ellas un puñado de grosellas negras, previamente lavadas. Volcar la crema sobrante sobre la capa más alta y adornar con grosellas.

ESTA TARTA DE ASPECTO APETITOSO Y SORPRENDENTE MAGNIFICA SU EFECTO AL SERVIRLA CON INFUSIONES FLORALES O FRUTALES.

La **influencia francesa** de esta receta es fácil de ver en la presentación de este singular ramo de **rosas**. Se trata de un pastel **delicado** y sofisticado que eleva la estatura de cualquier almuerzo o cena.

Pastel de manzana francés con canela y azúcar glas

DIFICULTAD: alta
CANTIDAD: 8-10 porciones
TIEMPO: 55 minutos

INGREDIENTES

PARA LA MASA

1 y ½ tazas de harina · 3 cucharadas de azúcar glas · ½ cucharadita de sal · Una taza de margarina

PARA EL RELLENO

4 manzanas rojas · Un limón · ¼ de vaso de agua · 5 cucharadas de mermelada · 2 cucharadas de canela, de margarina y de azúcar

ELABORACIÓN

MASA: poner en un bol la harina, el azúcar, la sal y la margarina. Trabajar con un cuchillo hasta obtener una mezcla arenosa. Añadir tres cucharadas de agua bien fría e integrarla con la punta de los dedos formando un bollo. Dividir el bollo en dos, cubrir con film de cocina y guardar en la nevera al menos media hora. Engrasar un molde. Estirar la masa sobre papel de cocina hasta que tenga 3 mm de espesor. Guardarlo nuevamente en la nevera durante media hora. Forrar el molde engrasado con la masa que se ha estirado y cortar el sobrante para hacer con ella el enrejado. Pinchar con un tenedor la base de la tarta y volver a refrigerar media hora.

RELLENO: lavar las manzanas y cortarlas en mitades. Con la punta de un cuchillo, quitar las semillas y cortarlas en láminas muy finas. Rociar las láminas de manzana con zumo de limón y agua para que no ennegrezcan y disponerlas en un plato. Cocinarlas en el microondas tres minutos para que se ablanden. Enrollar la masa con las manos hasta formar un rodillo y partirlo en 16 trozos. Estirar cada trozo hasta formar tiras de 20 x 4 cm. Untar la tira con mermelada de albaricoque y poner sobre ella trozos de manzana verticales, con la cáscara mirando para el mismo lado. Doblar la tira para fijar las láminas de manzana, y enrollarlas formando una rosa.

ARMADO: estirar el bollo de la nevera y forrar con él un molde redondo. Pincelarlo con agua y poner en su interior las «rosas» de manzana. Poner una pizca de margarina sobre cada una, espolvorear canela y azúcar y hornear 35 minutos.

SIGUIENDO LA MAGNÍFICA PROPUESTA ESTÉTICA DE LA RECETA, RECOMENDAMOS ACOMPAÑAR ESTE PASTEL CON TÉ AL LIMÓN CON AGUA DE ROSAS.

Una receta **básica y tradicional**, el pie de manzana funciona igual de bien como postre o como merienda. Las **manzanas** proporcionan energía, y la **mermelada** de melocotón da el toque frutal adicional que marca la diferencia.

Pie de manzana y hojaldre vegano

DIFICULTAD: media
CANTIDAD: 8 porciones
TIEMPO: 20 minutos

INGREDIENTES

PARA LA MASA
- Una taza de harina
- Una pizca de sal
- ½ taza de agua
- ¾ taza de margarina

PARA EL RELLENO
- Mermelada de melocotón
- 4 manzanas grandes
- Azúcar

ELABORACIÓN

Colocar la harina en la mesa de trabajo formando un volcán. Echar en el centro la sal y el agua y amasar rápidamente hasta obtener una masa lisa y firme. Hacer con ella una bola, taparla y guardarla en la nevera durante 20 o 30 minutos. Una vez que haya descansado, estirar la masa con un rodillo dándole forma rectangular.

Cortar la margarina en láminas y distribuirlas en ⅔ de la superficie del rectángulo. Doblar la masa tres veces, como si tuviera tres caras y en este orden: la masa sin margarina se dobla con la masa que la contiene y, sobre esta, tras poner más margarina, se dobla el tercio restante. Se obtiene así un rectángulo más pequeño formado por tres capas de masa separadas entre sí por capas de margarina. Con sumo cuidado estirar la masa evitando que la margarina salga por los costados. Girar la masa un cuarto de vuelta y doblarla tres veces como se ha hecho previamente. Dejarla en la nevera descansando durante 30 minutos. Este proceso deberá repetirse tres veces más, reposando media hora después de cada media vuelta.

ARMADO: extender la masa y doblar hacia adentro los bordes. Pintar su interior con mermelada de melocotón y poner encima las manzanas peladas y en trozos. Si se desea que las manzanas queden muy blandas, darles antes un hervor de 10 minutos echando en el agua un par de cucharadas de azúcar. Luego, una vez que hayan enfriado, montarlas sobre la tarta. Precalentar el horno a 180 °C y hornear la tarta durante unos 20 minutos.

SE PUEDE TOMAR ACOMPAÑADA DE CAFÉ, O DE CHOCOLATE CALIENTE. AMBAS OPCIONES APOYARÁN EL SABOR DE LA MANZANA, Y DARÁN PROTAGONISMO A LA TEXTURA DEL PIE.

Postres veganos en vaso o copa

En esta sección los productos más empleados son los **lácteos vegetales**. Se podría afirmar que de cualquier grano comestible, de cualquier fruto con una cierta concentración de **grasa**, puede hacerse tanto una **harina** como una **leche** vegana. Algunas de ellas, por las características y composición del grano, resultan sin duda muchísimo más **alimenticias** que la leche animal y, desde luego, todas son más **saludables** y fáciles de digerir.

Aunque en el mercado existen los yogures de soja, por lo general tienen un precio altísimo en comparación con los yogures habituales de leche de procedencia animal; por eso resulta interesante saber que con leche de soja, hecha en casa o comercial, y un poco de yogur industrial de soja, todo el mundo puede iniciarse en la producción de tales yogures.

La otra opción es utilizar un tipo de kéfir que se obtiene cultivándolo en agua en lugar de hacerlo en productos lácteos y que se puede adquirir en las tiendas de dietética o en los herbolarios. Se trata de encontrar una opción vegana que resulte con una textura y sabor que no tenga nada que envidiar a las opciones de lácteos de origen animal.

La **leche de soja** no solo es una fantástica alternativa vegana y **sin lactosa** a la leche animal, sino además un ingrediente único, original, y lleno de sabor. Esta leche le da un toque fresco y diferente a un postre tan clásico como el **yogur**.

Yogur vegano con aroma de rosas

DIFICULTAD: baja
CANTIDAD: 1 litro
TIEMPO: 30 minutos, más un día para que cuaje y repose

INGREDIENTES
- Un litro de leche de soja
- Una cucharada de esencia de rosas

- Un yogur de soja
- ½ taza de pétalos de rosa comestibles

ELABORACIÓN

Calentar en un cazo a fuego muy lento la leche de soja, mezclada con la esencia de rosas. La mezcla no debe superar nunca los 40 °C de temperatura. En un vaso, mezclar el yogur de soja con un chorrito de leche de soja tibia del cazo. Remover hasta que esté bien disuelto. Mezclar el contenido del vaso con el resto de la leche de soja, y retirar del fuego.

Con yogurtera: repartir la leche de soja entre los recipientes de la yogurtera, y meterlos dentro de la yogurtera encendida. Tapar, y dejar reposar dentro durante un mínimo de 12 horas. Pasado ese tiempo, retirar cuidadosamente el suero de cada uno de los yogures, y enfriar en la nevera durante 12 horas más.

Sin yogurtera: es posible hacer el yogur sin necesidad de yogurtera. Distribuir la leche de soja en recipientes de cristal de tamaño similar. Envolver cada recipiente en un paño grueso. Encender el horno a temperatura mínima, entre 30 y 50 grados. Meter los recipientes dentro, y dejar reposar. Pasadas cuatro horas, apagar el horno sin abrirlo. Dejar el yogur cuajándose dentro durante ocho horas más. Sacar los recipientes del horno, quitar los paños, y retirar el suero de cada yogur con cuidado. Meter en la nevera para enfriar durante 12 horas más.

Presentación: para una perfecta presentación, colocar una cabeza de rosa comestible encima del yogur, acentuando el efecto floral del postre.

PARA HACER ESENCIA DE ROSAS CASERA HAY QUE USAR ROSAS QUE NO HAYAN SIDO TRATADAS CON PRODUCTOS QUÍMICOS, PUES NO DESAPARECEN AL HERVIR LA FLOR.

La **crema de chocolate** es un ingrediente esencial para varias generaciones, un recordatorio de **meriendas infantiles** y excursiones juveniles; una crema llena de energía e historia con la habilidad de catapultar a cualquiera a un mundo de grata **nostalgia** adolescente.

Cupcake de «nutella» vegana

DIFICULTAD: baja
CANTIDAD: 3 unidades
TIEMPO: 15 minutos, más 1 hora de reposo

INGREDIENTES

- 1 y ½ tazas de avellanas
- ½ taza de cacao en polvo

- ½ taza de azúcar glas
- ½ taza de aceite vegetal
- Unas gotas de extracto de vainilla
- Toppings de chocolate o de azúcar

ELABORACIÓN

Meter las avellanas en la trituradora, y encender a máxima potencia. Pasados un par de minutos, las avellanas estarán troceadas. Será necesario continuar batiendo las avellanas durante más tiempo, hasta extraer el aceite y convertir los frutos secos en una pasta espesa. En ese momento, añadir el resto de los ingredientes que se especifican a la izquierda, y seguir batiendo hasta conseguir una textura cremosa con todos ellos, similar a la de la famosa crema de cacao.

Volcar la pasta en una manga pastelera. Hacer copetes de crema dentro de una taza o de un molde de papel rizado del mismo estilo que los que se usan para los cupcakes. La mejor presentación, espolvorear con toppings al gusto de chocolate o de azúcar.

USANDO CHOCOLATE BLANCO RALLADO EN LUGAR DE CACAO EN POLVO, ES POSIBLE HACER «NUTELLA» BLANCA; SU TEXTURA ES MÁS GRASA, PERO SU SABOR ES INCONFUNDIBLE.

Esta receta propone dos formas diferentes de entender la **panna cotta**, aprovechando las propiedades del **agar agar**. Aparte del formato tradicional, que asemeja un flan o una **cuajada**, también es posible hacerla como una **gelatina** mucho más densa y sólida.

Panna cotta vegana con granada

DIFICULTAD: baja
CANTIDAD: 5 porciones
TIEMPO: 15 minutos, más 3 horas de reposo

INGREDIENTES

- 2 vasos de leche de almendras
- Una cucharada de azúcar
- Una cucharada de agar agar en polvo
- 2 granadas
- Una cucharada de azúcar moreno
- 3 cucharadas de agua

ELABORACIÓN

Mezclar la leche de almendras, el azúcar y el agar agar en polvo en un cazo. Ponerlo a fuego lento hasta que la leche empiece a humear. Remover asegurándose de que el agar agar se mezcla correctamente y no quedan grumos. Volcar en vasitos o tarrinas, y dejar enfriar en la nevera dos horas.

De desear una textura más solida, se deberían agregar una o dos cucharaditas de agar agar adicionales. En este caso, sería recomendable dejar la mezcla enfriando en un molde, para después cortar y servir con galletitas o biscotes.

Es muy importante triturar el agar agar correctamente antes de usar; debería ser un polvo fino, no hebras o bloques. De no estar suficientemente triturado, sería necesario dejarlo más tiempo en calor para que se disuelva.

Abrir las granadas, y volcar las semillas, con toda la carne, en una sartén. Mezclar el azúcar moreno y el agua. Dejar calentar a fuego lento hasta que el agua hierva, sin dejar de remover. Cuando la mezcla empiece a espesar, retirar del fuego y dejar enfriar en un tarro o vasito.

Cuando tanto la granada como la panna cotta estén frías, decorar la panna cotta con la granada y servir.

UNAS HOJITAS DE MENTA PUEDEN DAR UN TOQUE EXTRA DE FRESCOR A ESTE POSTRE. SERVIR SEPARADAS, SIN CORTAR, PARA CONSEGUIR EFECTO MÁS INTENSO Y NATURAL.

Los helados son tradicionalmente platos **veraniegos**, típicos de temporadas calurosas. Generalmente creados usando **grasas animales o huevos**, las **alternativas veganas** suponen un paso de gigante hacia una gastronomía mas sana y ética.

Sorbete vegano de grosellas y menta

DIFICULTAD: baja
CANTIDAD: 2 porciones
TIEMPO: 20 minutos, más 4 horas de congelación

INGREDIENTES

- ½ taza de hojas de menta
- Una taza de agua

- ½ taza de azúcar blanca
- 2 tazas de grosellas, limpias, y sin semillas
- El zumo de un limón

ELABORACIÓN

Hervir las hojas de menta en una sartén, removiendo con frecuencia, hasta que la mitad del agua se evapore. Colar la infusión resultante. En la misma sartén, retirando las hojas de menta, mezclar la infusión con el azúcar. Calentar a fuego lento y removiendo continuamente hasta que el azúcar se haya disuelto por completo. Retirar del fuego, y dejar enfriar.

Limpiar las grosellas, y quitarles las semillas. Triturarlas usando una batidora o un procesador de alimentos. Cuando las grosellas sean una pasta fina, agregar el zumo de limón. Mezclar bien. Añadir el jarabe de menta, ya frío. Seguir mezclando hasta que todo esté unificado.

Volcar en una taza o cualquier recipiente que quepa en el congelador. Dejar congelar durante seis horas. Sacar del congelador 10 minutos antes de servir. Para presentarlo, hacer bolas arrastrando una cuchara sobre la superficie del granizado.

EL USO DE UNA INFUSIÓN DE MENTA CASERA PARA SUSTITUIR EL AGUA ABRE LAS PUERTAS PARA PROBAR TODO TIPO DE INFUSIONES.

La inspiración **tradicional** de alta cocina de este postre lo convierte en un atajo muy sencillo hacia un mundo de **sofisticación** y buen gusto. Dos **esencias clásicas**, la vainilla y la canela, se unen en un postre de textura muy **cremosa** apto para todos los gustos.

Mousse vegana de vainilla y canela

DIFICULTAD: media
CANTIDAD: 4 porciones
TIEMPO: 15 minutos, más 1 hora de reposo

INGREDIENTES
- 2 tazas de tofu de seda
- 3 cucharadas de aceite de coco
- Una cucharada de vainilla en polvo
- ½ cucharada de sal
- ½ taza de sirope de agave
- ½ cucharada de canela en polvo

ELABORACIÓN
Mezclar el tofu, el aceite, la vainilla y la sal en el procesador de alimentos, en el tarro de la batidora. Batir a alta velocidad, removiendo con frecuencia para garantizar que el tofu se disuelve por completo. Pasados cinco minutos, añadir la mitad del sirope de agave, y continuar batiendo. Añadir la mitad de la canela y el resto del sirope. Batir a media potencia durante tres minutos.

En caso de usar batidora manual, la última parte del proceso hay que realizarla con cuidado, inclinando la batidora de forma que entre aire en la mezcla, como al montar nata. De hacerlo bien, el resultado debería ser una crema esponjosa y ligera.

Volcar la mousse en vasitos o jarritas, y dejar enfriar y reposar en la nevera durante una hora. Utilizar la media cucharadita de canela restante para decorar.

EL TOFU DE SEDA, COMÚN EN JAPÓN, PUEDE SER DIFÍCIL DE ENCONTRAR. ESTA RECETA TAMBIÉN FUNCIONARÍA CON TOFU COMÚN, AUNQUE SALDRÍA UNA MOUSSE MÁS DENSA.

Las **violetas escarchadas** dan a este helado tradicional un nuevo enfoque. Para acentuar ese factor sorpresa, añadimos el uso de los **caramelos** de violeta como catalizador para un postre siempre **original** y sorprendente.

Helado de coco con violetas escarchadas y arándanos negros

DIFICULTAD: media
CANTIDAD: 4 porciones
TIEMPO: 30 minutos, más 8 horas de preparación previa y otras 8 de reposo

INGREDIENTES
- Una taza de anacardos
- Una taza de leche de coco cremosa
- ½ taza de caramelos de violeta
- ½ taza de arándanos negros
- ½ taza de jarabe de agave
- ½ taza de violetas
- ¼ taza de azúcar glas

ELABORACIÓN
Meter los anacardos en agua. Abrir la leche de coco, y volcar en un vaso. Dejar la leche de coco y los anacardos reposar durante ocho horas. Al cabo de este tiempo, al leche de coco podría haberse separado en dos: abajo la mitad más densa y cremosa, y arriba el suero. De ser así, separar ambas mitades cuidadosamente. En caso contrario, simplemente separar la leche de coco en dos mitades.

Tomar la mitad más liquida de la leche de coco, y ponerla en un cazo al fuego, añadiendo los caramelos de violeta. Remover continuamente, y dejar al fuego hasta que los caramelos se disuelvan. Una vez la mezcla sea un líquido uniforme, retirar del fuego y dejar enfriar.

Colar los anacardos y enjuagarlos. Usando la batidora, o el procesador de alimentos, triturar los anacardos con la leche de coco restante, y la mitad de los arándanos. Añadir el jarabe de agave, y el caldo de leche de coco y caramelos de violeta. Una vez todo se haya reducido a una pasta espesa, servir en tarrinas y meter en el congelador.

Lavar los pétalos de violeta, procurando humedecerlos a conciencia. Recubrirlos de azúcar glas, cuidando de no romperlos. Congelar sobre un trozo de papel, para secar excesos de agua en el proceso. Usar los arándanos restantes y los pétalos de violeta escarchados para decorar.

DE LA MISMA FORMA QUE ESCARCHAMOS LOS PÉTALOS DE VIOLETA, PODEMOS ESCARCHAR HOJAS DE MENTA, Y SERVIRLAS EN EL MISMO PLATO. ES UN BUEN CONTRASTE DE SABORES.

Un postre ligero y deliciosamente **frívolo**, los polos de frambuesa sirven como una puerta de acceso a un mundo de **energía infantil** e inocente. Su aparición en mesas sofisticadas y bien pensadas será un **guiño inolvidable** para todos los comensales.

Polos de frambuesa veganos

DIFICULTAD: media
CANTIDAD: 4 unidades
TIEMPO: 30 minutos, más 8 horas de congelación

INGREDIENTES

- 2 tazas de leche de coco cremosa
- Una taza de frambuesas frescas
- Una taza de azúcar demerara

ELABORACIÓN

Mezclar la leche de coco con las frambuesas y el azúcar demerara en una olla, y hervir a fuego lento durante 25 minutos, removiendo con frecuencia para deshacer el azúcar. Volcar la mezcla en el procesador de alimentos o en el tarro de la batidora. Batir a baja potencia, cuidando de no deshacer las frambuesas por completo. Si quedan algunos trozos más grandes, los polos resultarán más interesantes.

Verter la mezcla en moldes para polo, y dejar congelar durante ocho horas. De no tener moldes para polos, se pueden usar vasos finos, o incluso moldes de galleta o cualquier otro recipiente que pueda parecer imaginativo. Se sirven los polos con frambuesas enteras sueltas para dar un efecto más fresco y natural.

CON EL MISMO PROCESO SE PUEDEN HACER POLOS DE CUALQUIER FRUTO ROJO. RECOMENDAMOS PROBAR COMBINACIONES PARA APROVECHAR LA RECETA AL MÁXIMO.

El **frescor** de la fresa, escondido bajo la **dulzura** del flan, y acompañado por la deliciosa **amargura** del chocolate negro, crean una **sinfonía de sabor** que, bien afinada, puede transformar cualquier velada en una experiencia gastronómica inolvidable.

Flan vegano con fresas y chips de chocolate negro

DIFICULTAD: media
CANTIDAD: 4 unidades
TIEMPO: 10 minutos de preparación, más 2 horas de reposo

INGREDIENTES
Una taza de leche de almendras • Una cucharada de vainilla en polvo • 3 cucharadas de azúcar mascabado • 3 cucharadas de agar agar en polvo • ½ taza de fresas • ¼ taza de chips de chocolate negro • Una cucharada de azúcar glas

ELABORACIÓN
Hervir la leche de almendras a fuego lento, añadiendo la vainilla, el azúcar mascabado, y el agar agar. Es importante asegurarse de que el agar agar está bien triturado antes de ponerlo a calentar. Remover hasta deshacer los ingredientes por completo.

Limpiar las fresas, retirar los cabitos, y cortarlas en láminas. Con mucho cuidado, secar las láminas de fresa con papel de cocina. Las fresas tienen que quedar todo lo secas posible, dado que su jugo ácido podría interferir con el proceso de gelificación del agar agar.

Separar cuatro láminas de fresa. Mezclar el resto de las láminas de fresa con los chips de chocolate negro, procurando reservar unos pocos chips para decorar al final. Recubrir el fondo de los vasitos de flan de láminas de fresa y chips de chocolate negro. Volcar la leche de almendras que hervimos previamente dentro de los vasitos.

Espolvorear con azúcar glas. De disponer de un soplete de cocina, tostar el azúcar glas. Dejar enfriar en la nevera durante dos horas. Pasado este tiempo, decorar poniendo una lámina de fresa y unos pocos chips de chocolate en cada vasito.

SERVIR CON LICOR DE MORA, O CON INFUSIÓN DE FRUTOS ROJOS, PARA UN RESULTADO ABSOLUTAMENTE ESPECTACULAR.

En ocasiones, los platos más **sencillos** son los más eficaces. La simpleza de esta receta sirve para abrir las puertas de la **nostalgia** y el recuerdo, en un entorno agradable y lleno de buenos sabores con un dulce tradicional que siempre es **bienvenido** en desayunos o meriendas.

Mermelada de frambuesas y fresas con pan blanco

DIFICULTAD: baja
CANTIDAD: un tarro
TIEMPO: 4 horas, más 4 horas para enfriar

INGREDIENTES

- Una taza de fresas
- Una taza de frambuesas
- 4 tazas de agua
- ½ taza de zumo de limón
- Una taza de azúcar blanca
- Pan blanco al gusto

ELABORACIÓN

Limpiar las fresas y las frambuesas, y picarlas en pedazos medianos. En una olla grande, poner a hervir las fresas, las frambuesas, el agua, el zumo de limón, y el azúcar a fuego muy lento. Remover con frecuencia, evitando que el azúcar se queme, o que la mezcla se quede pegada a las paredes de la olla.

Dejar hirviendo durante cuatro horas. Si la mezcla queda demasiado espesa muy pronto, añadir más agua. Dependiendo de la potencia del fuego, este proceso puede evaporar más o menos agua. Es importante prestar continua atención para no quemar la mermelada.

Una vez las cuatro horas han pasado, volcar el jarabe resultante en un tarro, y dejar enfriar en la nevera durante cuatro horas más. Servir la mermelada acompañada de pan blanco para conseguir un sabor perfecto.

PROBANDO DIFERENTES TIPOS DE PAN, VEREMOS CÓMO HARINAS DE VARIOS TIPOS PUEDEN MODIFICAR VISIBLEMENTE EL SABOR DE LA MERMELADA.

Esta sopa fría de postre sirve como respuesta perfecta a una comida encabezada por un **gazpacho** o por un plato de ajo blanco. La sencillez de su elaboración hace que sea necesario conseguir **ingredientes** de la mejor **calidad** posible, y tratarlos con el respeto que se merecen.

Sopa fría de arándanos

DIFICULTAD: baja
CANTIDAD: 2 raciones
TIEMPO: 15 minutos, más 2 horas de reposo

INGREDIENTES
- Una taza de arándanos
- 2 tazas de leche de almendras

- Una taza de leche de coco cremosa
- ½ taza de ralladura de coco
- ½ taza de jarabe de arce

ELABORACIÓN
Limpiar bien los arándanos, y meterlos en el procesador de alimentos, o en el tarro de la batidora. Triturar durante cinco minutos, hasta que no queden trozos grandes de fruta. Añadir la leche de almendras poco a poco, lubricando la pasta de arándanos. Una vez tenga una consistencia cremosa, añadir la la leche de coco, la ralladura de coco, y el jarabe de arce. Batir durante un par minutos, hasta que todos los ingredientes estén bien mezclados.

Dejar enfriar en la nevera durante dos horas, de manera que los ingredientes se asienten, y la sopa espese. Servir en plato hondo o en bol, acompañado de arándanos enteros para potenciar el efecto.

ESTA SOPA PUEDE MEJORAR INCREÍBLEMENTE DE SER ACOMPAÑADA CON TROZOS DE PAN NEGRO, E INFUSIÓN DE FRUTAS DEL BOSQUE.

Esta receta tan sencilla **aporta** una cantidad inimaginable de **beneficios** para la salud: el **plátano** aporta vitamina B, potasio y ácio fólico; la **leche** de **almendras** es rica en vitaminas A, E y B, y en fósforo, calcio y potasio.

Malteada vegana de plátano

DIFICULTAD: baja
CANTIDAD: 2 vasos
TIEMPO: 20 minutos

INGREDIENTES
- 2 plátanos maduros
- 1 y ½ tazas de leche de almendras
- ¼ taza de jarabe de agave

ELABORACIÓN
Los plátanos deben estar muy maduros, ya que se batirán mejor y, sobre todo, aportarán más dulzor al conjunto, sin necesidad de agregar azúcar de ningún tipo.

Pelar los plátanos, y cortarlos en rodajas. Meter las rodajas de plátano en el triturador de alimentos, o en el tarro de la batidora. Añadir la leche de almendras y el jarabe de agave, que le dará cierta consistencia. Batir el conjunto hasta obtener una textura cremosa.

Esta malteada se sirve fría y puede decorarse con rodajitas de plátano y hojas de menta. También combina bien con perlas de chocolate o frutos secos triturados o laminados muy finos.

GENERALMENTE SE SIRVE MUY FRÍA, AUNQUE EN ALGUNOS PAÍSES ESTA MISMA RECETA SE CONSUME EN CALIENTE.

Otro plato directamente extraído del mundo de la **infancia**, y actualizado con un **giro frutal** inesperado. Este postre funciona particularmente bien como complemento para un **brunch** de domingo con ambiente festivo.

Natillas veganas con frutos rojos

DIFICULTAD: media
CANTIDAD: 6 raciones
TIEMPO: 30 minutos, más 4 horas de reposo

INGREDIENTES

- 1 y ½ tazas de leche de soja
- ½ taza de jarabe de arce

- Una cucharada de vainilla en polvo
- 4 cucharadas de agar agar
- ¼ taza de arándanos
- ¼ taza de grosellas
- ¼ taza de frambuesas

ELABORACIÓN

Hervir a fuego lento la leche con el jarabe, la vainilla y el agar agar en polvo. Es importante asegurarse de que el agar agar está suficientemente triturado, o será difícil de disolver en la leche. Cuando ya no quede ningún resto sólido, retirar del fuego.

Lavar los arándanos, las grosellas, y las frambuesas. Separar unos pocos frutos de cada tipo para decorar. Cortar el resto de los frutos en láminas, y secar el exceso de jugo con papel de cocina. La acidez del jugo podría tener un efecto muy negativo en las propiedades del agar agar, así que conviene tener mucho cuidado en este paso.

Mezclar las láminas de los frutos, y usarlos para cubrir el fondo de las tarrinas. Añadir la leche de almendras que hemos preparado anteriormente. Meter en la nevera durante cuatro horas para garantizar que se cuajan adecuadamente. Servir usando los frutos que reservamos antes para decorar.

CAMBIANDO LA LECHE DE SOJA POR LECHE DE ARROZ, OBTENDREMOS UNA TEXTURA Y UN SABOR MUY DIFERENTES. PROBEMOS CON DIFERENTES TIPOS DE LECHE.

Este original postre, de inspiración otoñal en su colorido, sirve perfectamente para poner un broche dorado en cualquier cena ligera e informal. El contraste entre la menta y los arándanos puede hacer las delicias de cualquier comensal.

Mousse de calabaza, arándanos glaseados y menta

DIFICULTAD: media
CANTIDAD: 2 raciones
TIEMPO: una hora, más 4 horas de reposo

INGREDIENTES

- Una calabaza
- Una taza de leche de arroz
- ½ taza de jarabe de agave
- Una cucharadita de sal
- Una taza de arándanos
- ¼ taza de menta fresca
- Una cucharada de azúcar glas

ELABORACIÓN

Pelar la calabaza, y cortar la carne en cubitos, quitando las semillas en el proceso. En una olla, hervir a fuego medio los cubitos de calabaza en la leche de arroz, añadiendo agua hasta cubrir bien. Remover con frecuencia, procurando romper la calabaza a medida que se cocina. Pasados 20 minutos, bajar el fuego al mínimo, y añadir el jarabe de agave, la sal, y la mitad de los arándanos. En una olla aparte hervir la menta fresca en agua durante cinco minutos a fuego fuerte. Una vez la infusión esté hecha, colar y mezclar con la calabaza.

Pasados otros 20 minutos, retirar la olla del fuego, y verter el contenido de la misma en el procesador de alimentos o en el tarro de la batidora. Batir a máxima potencia durante dos minutos. Luego batir a media potencia para ayudar a hacer espuma. En caso de estar usando una batidora, inclinar la batidora y el tarro, procurando meter aire dentro de la mezcla. Distribuir la mousse en tarrinas, y meterla en la nevera durante cuatro horas.

Lavar bien los arándanos restantes y, todavía húmedos, recubrirlos de azúcar glas. Meter los arándanos glaseados en el congelador hasta el momento de servir la mousse. Usarlos para decorar y para cubrir la tarrina.

PREPARANDO LA MOUSSE EL DÍA ANTERIOR, Y DEJÁNDOLA YA SERVIDA CON UNA GALLETA DE ARROZ DENTRO, CONSEGUIREMOS UN EFECTO ABSOLUTAMENTE INOLVIDABLE.

Este arroz se puede hacer con diversos tipos de **leches vegetales** o solo con **leche de coco**, lo cual le daría un sabor bastante pronunciado. Lo aconsejable es emplear **leche de avena**, que es la que tiene un sabor más **neutro** o emplear una mezcla que resulte agradable.

Arroz con leche de coco y mango

DIFICULTAD: alta
CANTIDAD: 8 porciones
TIEMPO: 45 minutos

INGREDIENTES

- Un litro y ½ de agua
- ½ taza de arroz de grano redondo

- 2 tazas de leche de avena
- Una taza de leche de coco
- ½ taza de azúcar
- Una cucharada de coco rallado
- 2 mangos maduros

ELABORACIÓN

Poner una cacerola con el agua al fuego y cuando rompa el hervor, echar dentro el arroz y removerlo con una pala de madera. Dejarlo cocer a fuego medio durante 10 minutos, escurrirlo con un colador y reservar.

Mezclar en un cazo la leche de avena (o la que se quiera emplear) con la leche de coco y añadirle la mitad del azúcar. Sumarle el arroz que se ha reservado y ponerlo a fuego vivo hasta que rompa el hervor, sin dejar de remover. Una vez que ha hervido, seguir cociendo a fuego mínimo durante 30 minutos, moviéndolo con la cuchara de madera cada tanto para que no se pegue.

Pasados los 30 minutos, comprobar que el arroz está completamente cocido. Añadirle el azúcar restante y dejar a fuego suave durante otros cinco minutos más. Servir espolvoreado con coco rallado y con unos trozos de mango.

SI SE DESEA DARLE UN TOQUE TRADICIONAL, SE PUEDE ADORNAR CON UN POCO DE CANELA EN POLVO.

La **leche de alpiste** por su alto contenido en **proteínas** vegetales (100 g de alpiste aportan 14 g de proteínas), por su contenido en **lipasa**, que elimina el exceso de grasa corporal y por ser **diurética**, es muy sana y completa.

Batido de chocolate con cereales, uvas pasas y frambuesas

DIFICULTAD: media
CANTIDAD: 6 raciones
TIEMPO: preparar el día anterior

INGREDIENTES
- 6 cucharadas de alpiste
- 4 tazas de agua mineral
- 12 cucharadas de cacao amargo, sin leche
- Jarabe de arce para endulzar
- 6 cucharadas de muesli
- 6 cucharadas de frambuesas

ELABORACIÓN
Poner en un vaso las cucharadas de alpiste, cubrirlas con agua mineral y dejarlas reposar toda la noche.

Por la mañana, colar el contenido del vaso y poner las semillas en el vaso de la licuadora con un poco de agua (más o menos, medio vaso).

Triturar las semillas durante un minuto. Dejar que se asienten empujando hacia el fondo del vaso de la licuadora los trozos que hayan quedado en las paredes y repetir la operación dos veces más. Añadir en la licuadora el resto del agua mineral previamente hervida y fría. Volver a triturar durante unos minutos más.

Colar la mezcla con un colador metálico para extraer los trozos más grandes y luego, con uno de tela (una manga para café), echar el líquido en el vaso limpio de la licuadora. Añadir las 12 cucharadas de cacao y jarabe de arce para endulzar y batir 30 segundos más.

Servir el batido en vasos y echar en cada uno una cucharada de muesli y otra de frambuesas.

EL ALPISTE QUE SE USE DEBE SER APTO PARA EL CONSUMO HUMANO. LOS QUE SE VENDEN PARA PÁJAROS PUEDEN TENER MEZCLAS DE OTRAS SEMILLAS O UNA PUREZA INFERIOR.

Los **probióticos** son cultivos que se emplean para fermentar el yogur. Los que se venden en las **farmacias**, por lo general son de **origen lácteo**, pero también los hay totalmente **vegetales** que se consiguen fácilmente en los **herbolarios**.

Yogur vegano de mango

DIFICULTAD: baja
CANTIDAD: 6 raciones
TIEMPO: 5-6 horas, más 12 horas de remojo

INGREDIENTES
- Una taza de anacardos
- 3 cucharadas de semilla de sésamo

- 1 y ½ tazas de agua mineral
- 3 cápsulas de probióticos
- 3 cucharadas de mango picado
- 2 cucharadas de pistachos

ELABORACIÓN
Poner en un bol los anacardos y las semillas de sésamo. Cubrirlos con agua mineral, tapar el bol con film y dejar las semillas en maceración toda la noche.

Pasadas 12 horas como mínimo, poner el contenido del bol en un colador grande y lavar las semillas debajo del grifo, con agua fría.
Escurrirlas, ponerlas en el vaso de la licuadora y echar el vaso y medio de agua mineral. Abrir las cápsulas de probióticos y echar en la licuadora el polvo que contienen. Añadir el mango picado y licuar hasta obtener una crema homogénea.

Verter el contenido de la licuadora en los vasos de la yogurtera y proceder como con el yogur de leche. Si no se posee este accesorio, volcarlo en frascos de cristal y ponerlos cerca de una fuente de calor o en el horno, a 40 °C.
Al cabo de cinco horas los yogures estarán listos para ser consumidos. Si se desean más espesos, se pueden dejar más tiempo al calor, pero no es recomendable superar las 12 horas, ya que quedarían excesivamente ácidos.
Servir formando capas de yogur con rodajas de mango. Coronar con mangos troceados y espolvorear con pistachos picados.

ESTE YOGUR ES MUY SALUDABLE PORQUE LAS SEMILLAS DE SÉSAMO APORTAN CALCIO Y LOS ANACARDOS, PROTEÍNAS. SE PUEDE ENDULZAR CON AZÚCAR DE COCO O CON CUALQUIER OTRA.

Contando con una **yogurtera**, es posible hacer yogur casero de un modo más sencillo. Para ello serán necesarios los **fermentos** iniciales, que se pueden obtener a partir de un yogur de soja industrial. Sin embargo, la mejor opción siempre es prepararlo enteramente en casa.

Yogur vegano con vainilla, arándanos y muesli

DIFICULTAD: baja
CANTIDAD: ¼ litro
TIEMPO: 5-6 horas, más 24 horas de remojo

INGREDIENTES
- Una taza de granos de kéfir de agua
- Un litro de leche de soja
- Una cucharadita de esencia de vainilla
- ½ taza de fruta de temporada
- ½ taza de muesli
- ½ taza de arándanos

ELABORACIÓN
Poner en un bol el kéfir y añadir la leche de soja. Dejarlo en remojo 24 horas a temperatura ambiente. Transcurrido ese tiempo, la preparación habrá cuajado y el suero se habrá separado del cuajo de soja.

Colar el cuajo con un colador de metal. Añadir al líquido obtenido la esencia de vainilla y la fruta de temporada. Colarlo nuevamente con una manga y dejarlo escurrir varias horas para eliminar el exceso de suero.

Es conveniente que el líquido que cae de la manga gotee sobre un recipiente, ya que si el yogur quedara demasiado espeso, su densidad se puede corregir añadiéndole más suero. Por el contrario si no tiene la densidad suficiente, bastará con dejarlo unas horas más en la manga.

Servir el yogur obtenido salpicado con muesli y arándanos.

ANTES DE COLAR EL YOGUR CON LA MANGA, SE LE PUEDE AÑADIR LA FRUTA QUE SE DESEE. TAMBIÉN SE PUEDEN EMPLEAR DIFERENTES SUSTANCIAS VEGANAS PARA ENDULZARLO.

La **sandía** es una fruta con un sabor muy **delicado** que combina a la perfección con los **frutos del bosque**: grosellas, moras, arándanos, etc. En esta receta se ha optado por las **frambuesas**, pero se puede emplear cualquiera de ellas con la seguridad de que el **granizado** resultará exquisito.

Granizado refrescante de sandía

DIFICULTAD: baja
CANTIDAD: 4 raciones
TIEMPO: 15 minutos, más 4 horas de reposo

INGREDIENTES
- ½ sandía de tamaño medio
- 2 cucharadas de granadina

- 3 cucharadas de azúcar moreno
- ½ vaso de Oporto
- ½ cucharadita de agar agar

ELABORACIÓN

Poner en un bol la sandía cortada en trozos junto con la granadina y el azúcar moreno y triturarla con la batidora.

Calentar el Oporto en un cazo y cuando rompa el hervor, apagar el fuego y añadir el gramo de agar agar (o una pizca) y batirlo rápidamente. Cuando espese, añadir esta mezcla a la sandía triturada.

Verter el contenido del bol en una fuente de horno de cristal y dejar enfriar en el congelador durante al menos cuatro horas.

Pasado este tiempo, raspar la superficie de la sandía congelada con un tenedor a fin de que adquiera la textura de un granizado.

Se puede servir adornado por trozos enteros de sandía o de otras frutas jugosas como el melón.

SE PUEDE SUSTITUIR EL VINO DE OPORTO POR RON BLANCO. SI NO SE QUIERE EMPLEAR ALCOHOL, PONER 25 ML MÁS DE GRANADINA O DE JARABE DE FRAMBUESAS.

Caprichos veganos

En la última sección de este libro se pone de manifiesto la **versatilidad** de la repostería vegana y la forma en que se han adaptado platos tradicionales como el **merengue** o la **pasta choux** para los eclairs, que en un principio parecieron imposibles de imitar, empleando **ingredientes vegetales** con una dosis de creatividad y experimentación.

Otro tanto puede decirse de las falsas yemas, en las que se han reemplazado los huevos por una combinación de almendras, aceite de semillas y leche de arroz. También resulta interesante la introducción de algunos elementos nuevos en la repostería casera, como es el caso del uso de la malta o del matcha, un saludable té verde originario de Japón. Este producto, mezclado con gelificantes como el agar agar o espolvoreado sobre la superficie de flanes y budines, confiere a los alimentos un color verde seco espectacular y completamente nuevo en la mesa.

Si en la cocina tradicional hay muchas maneras de dar el toque final a los platos, y eso es seña de identidad en el arte culinario de diversas regiones, en la gastronomía vegana se multiplican, ya que el abanico de ingredientes que se emplean es mucho más amplio y variado.

La **polenta** podría ser considerada como la prima «sana» de la **pasta**. Es una fantástica fuente de **hidratos** de carbono, de origen puramente **vegetal**, y sin **gluten**. Su versatilidad la convierten en una de las reinas de la **gastronomía** italiana.

Peras «Williams» con polenta

DIFICULTAD: baja
CANTIDAD: 4 unidades
TIEMPO: 20 minutos

INGREDIENTES
- 3 tazas de leche de avena
- ½ taza de azúcar blanca
- Una taza de polenta

- 2 cucharadas de mantequilla de soja
- 2 peras «Williams»
- Una cucharada de canela
- 2 cucharadas de azúcar moreno

ELABORACIÓN
Poner a hervir la leche de avena, mezclada con el azúcar blanca. Cuando llegue al punto de ebullición, retirar del fuego. Volcar la polenta en una olla y, lentamente y sin dejar de remover, añadir la leche de avena caliente. Una vez está todo mezclado, dejar calentar durante cinco minutos a fuego lento.

En una sartén, derretir la mantequilla de soja. Pelar las peras y partirlas por la mitad. Freírlas ligeramente a fuego lento en la mantequilla de soja, hasta que queden blandas, pero sin perder consistencia. Añadir la canela y remover. Añadir una cucharada de azúcar moreno y remover con mucho cuidado, procurando que no se pegue a la sartén.

Servir la polenta en cuencos, colocando media pera en cada uno. Espolvorear las medias peras con los sobrantes de azúcar moreno. Este plato se puede tomar tanto frío como caliente.

DE TENER UN SOPLETE DE COCINA, LA PRESENTACIÓN PUEDE MEJORARSE MUCHO FUNDIENDO EL AZÚCAR MORENO QUE QUEDA ENCIMA DE LAS PERAS. LA LECHE DE AVENA PUEDE CAMBIARSE POR LECHE DE ARROZ PARA CONSEGUIR UNA TEXTURA MÁS CONSISTENTE.

Este tipo de dulce, de corte **tradicional**, tiene la virtud de transportarnos a un mundo de tardes de verano, lánguidas y confortables, **lejos del ruido** de la vida moderna. A pesar de ser un clásico, presentado con gracia, puede resultar un **revival** de moda.

Falsas yemas con almendra

DIFICULTAD: media
CANTIDAD: 4 raciones
TIEMPO: 30 minutos

INGREDIENTES

- ¾ taza de leche de arroz
- ¼ taza de azúcar
- Una cucharada de aceite de semillas

- ½ cucharadita de cúrcuma
- 2 tazas de harina de almendras
- ½ taza de harina de trigo
- ½ cucharadita de levadura
- Azúcar glas para espolvorear

ELABORACIÓN

Poner la leche de arroz en un bol y agregarle el azúcar, la cucharada de aceite y una pizca de cúrcuma para darle color.

Reservar ¼ de taza de harina de almendras y añadir a la mezcla anterior el resto, junto con la harina de trigo y la levadura. Amasar hasta conseguir un bollo compacto.

Si resulta muy difícil integrar las harinas, pueden sumarse a la mezcla una o dos cucharadas más de leche. Por el contrario, si la masa está demasiado húmeda, añadirle harina blanca hasta que se pueda trabajar.

Encender el horno a 180 °C y forrar una placa con papel vegetal. Tomando pequeñas porciones de masa, darles forma redonda y pasarlas una vez armadas por un plato que contenga la harina de almendras que se ha reservado.

Hornear durante 20 minutos vigilando que no se doren excesivamente. Servirlas espolvoreadas con azúcar glas.

RECOMENDAMOS DISFRUTAR DE ESTE POSTRE CON UNA BUENA TAZA DE CHOCOLATE CALIENTE, O CON UNA TAZA DE CAFÉ SOLO.

El plátano es un fruto que contiene múltiples nutrientes. Como es altamente **energizante**, es apropiado para el **desayuno** y como combustible a la hora de tener que hacer grandes **esfuerzos** físicos o intelectuales para estudiantes o deportistas.

Panqueque vegano de plátano

DIFICULTAD: baja
CANTIDAD: 6 unidades
TIEMPO: 15 minutos

INGREDIENTES

- Una taza de leche de almendras
- 3 cucharadas de aceite

- 2 plátanos
- 3 cucharadas de azúcar
- 1 y ½ tazas de harina
- 1 y ½ cucharaditas de levadura
- Una pizca de sal
- Margarina
- Jarabe de arce o mermelada

ELABORACIÓN

Batir la leche de almendras con la licuadora o el procesador de alimentos junto con el aceite y un plátano. Añadirle el azúcar y volcar el líquido en un bol. Añadir poco a poco la harina, sin dejar de batir, tamizada junto con la levadura y la sal.

Calentar una sartén, preferentemente antiadherente. Poner en ella media cucharada de margarina y, cuando se haya derretido, mover la sartén para distribuirla por toda su superficie. Echar el sobrante de margarina en la mezcla que se ha preparado, y pasar por la superficie de la sartén una servilleta de papel doblada, a fin de que se pueda usar para engrasar más adelante la sartén.

Con un cucharón, echar el líquido en la sartén caliente y moverla para extender la masa. Cuando el panqueque esté cocido por un lado, dar la vuelta. Una vez hecho, sacarlo sobre un plato.Cada dos o tres panqueques, pasar la servilleta con margarina por la superficie de la sartén.

Servirlos con el otro plátano laminado y jarabe de arce, o con mermelada. Si el panqueque se ha pegado, antes de emplear algún utensilio para darle la vuelta, tomar el mango de la sartén con una mano y darle un golpe seco con la otra. Eso hará que el panqueque se desprenda.

POCAS RECETAS SON MÁS VERSÁTILES QUE LOS PANQUEQUES QUE, CAMBIANDO LOS INGREDIENTES BASE, SIRVEN PARA COMIDAS SALADAS, U OTRO TIPO DE POSTRES.

Encontrar el tipo de **tofu perfecto** para este postre puede resultar complejo. Hay diversas **texturas**, formas e incluso **sabores** de tofu en el mercado, dependiendo de muchos factores como procedencia y función.

Tofu «dorado» con coco rallado

DIFICULTAD: alta
CANTIDAD: 18 porciones
TIEMPO: 15 a 20 minutos

INGREDIENTES
- Un bloque de tofu firme
- 2 cucharadas de aceite de semillas

- Una lata de melocotón en almíbar (u otra fruta)
- ½ taza de coco rallado

ELABORACIÓN
Abrir el paquete de tofu y desechar cuidadosamente el líquido. Colocar el tofu dentro de un colador y, sobre la pila, presionar ligeramente para eliminar el exceso de agua.

Colocar el tofu sobre cuatro o cinco servilletas de papel extendidas y envolverlo con ellas presionando. Envolver el paquete en un lienzo limpio, apretando firmemente para quitarle aún más el agua. Colocar sobre el paquete un peso y dejarlo así al menos una hora.

Desenvolver el paquete con cuidado y cortar el tofu en cubos de 1,5 cm de lado. Secar cada trozo con una servilleta de papel. Poner en una sartén dos cucharadas de aceite de semillas y cuando esté caliente, poner los trozos de tofu en su interior.

A medida que las caras de los cubos de tofu se vayan dorando, darlos la vuelta con ayuda de unas pinzas de cocina. Poner en un plato dos o tres cucharadas de almíbar de la lata de melocotones, mojar los trozos de tofu en él y luego rebozarlos en coco rallado.

LA GRAN VENTAJA DE LA AMPLIA GAMA DE TIPOS DE TOFU ES QUE LA EXPERIMENTACIÓN ESTÁ A LA ORDEN DEL DÍA EN TEXTURAS, CONSISTENCIAS Y NUEVOS SABORES.

Una de las **estrellas** de la repostería tradicional, el merengue ha sido siempre uno de los postres más **complejos** de confeccionar, y uno de los más **vistosos**. Esta variante vegana no desmerece en absoluto la receta **original**, e incorpora nuevos y sorprendentes elementos.

Merengue vegano de limón

DIFICULTAD: alta
CANTIDAD: 8-10 porciones
TIEMPO: de 2 a 3 horas

INGREDIENTES
½ taza de dátiles frescos • Una cucharada de yogur de soja • ½ cucharadita de bicarbonato • 2 cucharadas de margarina • 4 cucharadas de harina leudante • Una cucharadita de cacao en polvo, sin leche • Una pizca de canela • Margarina
PARA LA COBERTURA DE MERENGUE
Un frasco de garbanzos cocidos • ½ taza de azúcar en polvo • Una cucharadita de esencia de limón

ELABORACIÓN
BASE DE BIZCOCHO: deshuesar los dátiles, cortarlos en trozos pequeños y ponerlos en un bol. Añadir una cucharada de yogur de soja, el bicarbonato y la margarina y trabajar la mezcla con la batidora eléctrica para que los dátiles se integren bien. Añadir el resto de los ingredientes menos la margarina y seguir batiendo hasta obtener una pasta suave.

Calentar al fuego una sartén de base pequeña. Echar una cucharadita de margarina y luego una porción de masa como para hacer una tortita. Cuando la masa esté cocida por un lado, darla vuelta como si fuera un panqueque.

MERENGUE: batir el líquido de los garbanzos a punto de nieve. Dejar reposar un minuto y volver a batir añadiendo poco a poco el azúcar y la esencia de limón. Cuando el azúcar se haya incorporado al líquido, batir enérgicamente durante varios minutos hasta que, al levantar la pala, se formen picos.

ARMADO: poner las tortitas sobre una placa de horno engrasada y llenar una manga pastelera con el merengue. Decorar cada una de las tortitas.

Cocinar en horno precalentado a 100 °C o 120 °C durante dos o tres horas. Si el merengue no se quiere crujiente, cocinarlo a 150 °C y hasta que esté dorado (de media a una hora).

LA DELICADEZA DE ESTE POSTRE SE APRECIARÁ MUCHO MEJOR EN COMPAÑÍA DE UN TÉ LIGERO Y AROMÁTICO, COMO EL LADY GREY.

Una reciente incorporación al mundo de la gastronomía moderna, el dulce de té matcha, tiene una clarísima **inspiración asiática** procedente de Japón. La única palabra que hace justicia a su sabor es «**lujoso**».

Dulce de té matcha y pistachos

DIFICULTAD: media
CANTIDAD: 8-10 porciones
TIEMPO: 35 minutos

INGREDIENTES

- 2 tazas de leche de arroz o de almendras
- 2 cucharadas de agar agar en polvo

- 2 plátanos
- Una pizca de jenjibre en polvo
- Una cucharada de té matcha
- ½ taza de pistachos
- 2 cucharadas de té matcha para espolvorear

ELABORACIÓN

Poner al fuego la leche de arroz o de almendras y cuando esté caliente, disolver el agar agar en ella evitando los grumos.

Triturar dos plátanos maduros hasta convertirlos en puré y, cuando la leche haya enfriado, batir o licuar en ella el puré de plátanos. Añadir el té matcha y batir hasta que el característico color verde se torne uniforme en toda la preparación.

Pelar los pistachos. Se pueden trocear un poco o dejarse enteros. Colocarlos al fondo de un molde rectangular o cuadrado y verter sobre ellos la mezcla que se ha preparado. Dejar que cuaje y se enfríe.

Cuando el dulce haya cuajado, retirarlo con ayuda de una pala y espolvorearlo con té matcha.

ENCONTRAR UNA BEBIDA QUE NO ROMPA EL DELICADO EQUILIBRIO DE ESTE POSTRE ES UN DESAFÍO. QUIZÁ EL TÉ DE ARROZ AÑADE UNA CAPA ADICIONAL DE SOFISTICACIÓN.

Para hacer estas galletas se pueden emplear tanto semillas de **sésamo blanco** como de **sésamo negro**. Debido al azúcar moreno, las galletas saldrán más bien oscuras, de modo que si se desea emplear sésamo negro, para marcar el contraste conviene usar **azúcar rubio o caster**.

Galletas de sésamo, avellanas frescas y batido de leche vegana

DIFICULTAD: media
CANTIDAD: 24 unidades
TIEMPO: 18-20 minutos

INGREDIENTES

Para las galletas

- 2 cucharadas de semillas de lino
- 3 cucharadas de agua caliente
- 2 tazas de harina de almendras
- ½ taza de harina de trigo
- ½ taza de azúcar moreno
- ½ cucharadita de sal
- ¼ de taza de semillas de sésamo

Para el batido

- Un litro de agua
- 2 cucharadas de copos de avena
- Ralladura de un limón
- Una pizca de canela
- Una pizca de nuez moscada
- 2 cucharadas de jarabe de arce

ELABORACIÓN

Galletas: encender el horno a 180 °C y forrar una bandeja de horno con papel vegetal. Poner en remojo durante 10 minutos las dos cucharadas de semillas de lino a remojar en tres cucharadas de agua caliente.

Mezclar la harina de almendra con la de trigo. Añadir el azúcar y la sal. Sumar a la mezcla anterior las semillas de lino con el agua y amasar con las manos hasta que todos los ingredientes se hayan integrado. Si la masa resultara excesivamente seca, añadir una o dos cucharadas de agua. Estirar la masa sobre una superficie enharinada y cortar las galletas con un cortapastas. Poner en un platito las semillas de sésamo. Apoyar en su superficie cada galleta ligeramente pincelada con agua, presionar ligeramente con los dedos para que las semillas de sésamo se peguen y ponerlas sobre una la bandeja de horno que se ha preparado. Hornear de 18 a 20 minutos, observando a partir de los 15 que no se quemen.

Batido: poner todos los ingredientes menos el jarabe en un cazo y llevarlos a ebullición. Cuando rompa el hervor, revolver la mezcla durante unos siete minutos. Retirar del fuego y dejar que se temple. Triturar con la batidora la leche y a continuación colarla. Cuando haya quedado clara, añadirle el jarabe de arce.

GUARDAR ESTAS GALLETITAS EN UN BOTE DE CRISTAL HERMÉTICO O EN UNA LATA PARA QUE SE MANTENGAN CRUJIENTES.

Estos palitos **malteados** resultan deliciosos. Sin modificar la receta se pueden servir también **salados**, como **aperitivo**. En este caso, para que resulten más sabrosos, hacerlos rodar encima de unos pocos **granos de sal** antes de echarlos en el aceite.

Suspiros crujientes con azúcar glas

DIFICULTAD: media
CANTIDAD: 2 platos
TIEMPO: 15 minutos

INGREDIENTES

- ½ taza de agua
- 3 cucharadas de aceite de semillas
- ½ cucharadita de sal

- Una pizca de extracto de malta
- Una taza de harina blanca
- ½ cucharadita de levadura
- Aceite para freír
- Azúcar glas

ELABORACIÓN

Poner en un bol el agua, el aceite, la sal y el extracto de malta. Tamizar la harina junto con la levadura y añadirla a los ingredientes anteriores a medida que se integra con la mano. Amasar hasta conseguir una masa elástica y lisa, que no se pegue ni al bol ni a las manos. Taparla con un paño y dejarla descansar 15 minutos.

Una vez que ha reposado, tomar pequeñas cantidades y hacerlas rodar sobre una superficie enharinada para hacer los palitos. Es importante tener en cuenta que como tienen levadura, con el calor crecerán, de modo que hay que hacerlos un poco más delgados del tamaño deseado.

Calentar el aceite en una sartén (mejor si se cuenta con una freidora) y echar en ella una buena cantidad de palitos. Freírlos como si fueran patatas; es decir, cuando estén dorados por un lado, darles la vuelta.

Cuando se hayan dorado, retirarlos del aceite y ponerlos sobre un papel absorbente para quitarles el exceso de materia grasa y espolvorearlos con azúcar glas.

RESULTAN MÁS APETITOSOS Y FÁCILES DE DIGERIR SI SE COMEN CALIENTES. SE PUEDEN EMPLEAR TAMBIÉN PARA DECORAR UNA TARTA O PARA ACOMPAÑAR COPAS HELADAS.

Estas rosquillas están hechas con **harina blanca** de trigo, ya que resulta mucho más fácil de manejar. Sin embargo, también pueden prepararse con harinas que les den un **sabor especial**, en cuyo caso lo mejor es utilizar una taza de harina blanca y media de la otra.

Rosquillas de anís y semillas

DIFICULTAD: baja
CANTIDAD: 12-16 unidades
TIEMPO: 20 minutos

INGREDIENTES

- 1 y ½ tazas de harina de trigo o una mezcla a elegir
- 2 cucharadas de azúcar

- Ralladura de un limón
- 2 cucharadas de semillas de anís
- Una cucharadita de semillas de amapola y otra de semillas de sésamo
- ½ taza de aceite de semillas
- Azúcar glas

ELABORACIÓN

Poner la harina en un bol, añadir el azúcar y la ralladura de limón y mezclar estos ingredientes removiéndolos con la mano. Añadir a esta mezcla las semillas de anís, de amapola y de sésamo y, tras revolverla un poco, hacer un hueco en el centro. Verter el aceite en el hueco e irlo integrando poco a poco con la harina para conseguir una masa homogénea, que no se pegue a los dedos.

Encender el horno y precalentarlo a 180 °C y cubrir una bandeja de horno con papel vegetal.

Tomar entre las manos pequeñas porciones de masa, estirarlas con forma de cilindro y unir los extremos para formar las rosquillas que, a continuación, se irán colocando sobre la bandeja.

Hornear a 180 °C y, cuando estén doradas, retirarlas del horno (no es necesario cocinarlas por el otro lado). Servirlas espolvoreadas generosamente con azúcar glas.

EL AZÚCAR GLAS QUE LAS RECUBRE SE PUEDE CARAMELIZAR: INMEDIATAMENTE DESPUÉS DE RETIRARLAS DEL HORNO ESPOLVOREARLAS CON AZÚCAR Y HORNEAR DOS O TRES MINUTOS.

Las tortitas de maíz son uno de los pilares de la gastronomía **mexicana**. Para su elaboración **tradicional**, se emplean granos de maíz cocidos con cal y pasados por un **molino** para obtener una harina fina y maleable. Su cocción se realiza sobre una plancha llamada **comal**.

Tortitas de maíz con sirope de arce y compota de frambuesas

DIFICULTAD: baja
CANTIDAD: 4 unidades
TIEMPO: 10 minutos

INGREDIENTES

PARA LAS TORTITAS

- Una taza de harina de maíz
- ¼ cucharadita de sal
- ¾ taza de agua tibia

PARA DECORAR

- 6 cucharadas de sirope de arce
- Compota de frambuesas
- Frambuesas frescas enteras

ELABORACIÓN

TORTITAS: poner en un bol la harina de maíz y la sal Añadir el agua poco a poco, integrándola con la harina con movimientos suaves. Es imprescindible tomar el punto adecuado de humedad de la masa, ya que si las tortitas quedan demasiado secas no tendrán flexibilidad. Es preciso obtener un bollo liso, suave y ligeramente húmedo.

Para formar las tortitas, extender un trozo de papel film sobre la superficie de trabajo. Tomar un trozo de masa del tamaño de una lima pequeña, ponerlo sobre el film y cubrirlo con otro trozo. Aplastar la tortita con la palma de la mano hasta que tenga unos 3 mm de espesor.

Calentar una sartén plana, retirar el plástico de la tortita y ponerla sobre la sartén caliente. Una vez que se haya cocido por un lado, dar la vuelta y presionarla ligeramente para que se infle. Cuando esté cocida también por el otro lado, retirarla de la sartén, ponerla en un plato y taparla con un lienzo.

PROPUESTA DE DECORACIÓN: las tortitas se pueden combinar con cualquier cosa, pero hemos elegido una decoración dulce en la que bañamos las tortitas con sirope de arce. Las acompañamos de compota de frambuesas y de frambuesas frescas como decoración.

HACER UN SIROPE SI NO TENEMOS DE ARCE ES SENCILLO: BASTA CON CALENTAR AGUA Y AZÚCAR EN LA MISMA PROPORCIÓN Y AÑADIR UNAS GOTAS DE LIMÓN HASTA TENER UN JARABE.

Los **eclairs** son unos postres que se **hacen** con un tipo especial de masa: la llamada **pasta choux**. Su principal **característica** es que cuando se cocina, se **infla**, permitiendo que se pueda **rellenar** con varias cremas.

Eclairs veganos de crema y azúcar

DIFICULTAD: alta
CANTIDAD: 6 unidades
TIEMPO: 50 minutos

INGREDIENTES

Para la masa

- ½ taza de agua
- 2 cucharadas de margarina
- Una pizca de sal
- 2 cucharadas de harina
- 1 y ½ cucharadas de almidón de trigo
- Una pizca de cúrcuma
- ½ cucharadita de levadura
- 2 cucharadas de leche

ELABORACIÓN

Masa: antes de empezar a hacer la masa conviene forrar una bandeja con papel vegetal y precalentar el horno a unos 200 °C. Para hacer la pasta choux vegana se siguen casi los mismos pasos que para hacer la tradicional. En primer lugar, poner a hervir agua en una cacerola junto con la margarina y una pizca de sal. Cuando el agua ya está caliente, añadir la harina y el almidón, removiendo constantemente con una cuchara de madera para que no se pegue. Cuando su consistencia permita ver el fondo de la cacerola al pasar la cuchara, añadir la cúrcuma, la levadura y un poco de leche (dos o tres cucharadas) para mantener la cremosidad. Extender rayas verticales con la masa, del tamaño de los eclairs, dejando entre una y otra una distancia de unos 5 cm. Hornear durante una media hora o hasta que adquieran un tono dorado.

Relleno: colocar en un bol la harina y batirla junto a una de las dos tazas de leche de almendras. Poner la otra taza de leche en una sartén junto con el azúcar y la sal y batir bien para que no queden grumos. Sumarle a esta la mezcla anterior, añadir el zumo de limón y la esencia de vainilla y cocinar a fuego medio removiendo durante cinco minutos o hasta que la mezcla espese. Retirar la cacerola del fuego y verter el contenido en un cuenco, colocando sobre la crema un trozo de papel de horno para evitar que forme una costra.

Cobertura y armado: mezclar el azúcar blanco con el zumo de naranja hasta que quede una crema ligera y uniforme. Si se desea más denso, añadir azúcar glas tradicional. Con ayuda de una jeringa pastelera, rellenar los eclairs con la crema y bañarlos con la cobertura.

EL AZÚCAR GLAS SUELE TENER CIERTA CANTIDAD DE FÉCULA DE MAÍZ O DE ALMIDÓN. LA COBERTURA QUE PROPONEMOS, AL TRITURAR EL AZÚCAR, ES MÁS TRANSPARENTE.

INGREDIENTES

Para el relleno

½ taza de harina • 2 tazas de leche de almendras • ⅓ taza de azúcar • Una pizca de sal • ¼ taza de zumo de limón • ½ cucharadita de esencia de vainilla

Para la cobertura

Una taza de azúcar blanco triturado • El zumo de media naranja

El mango, el kiwi, la piña y la papaya son **frutas** tropicales cargadas de **beneficios**. Aunque el **kiwi** es la que más vitamina C contiene, todas ofrecen esa vitamina y además, añaden otras. El **mango** la A, la **piña** la B y la **papaya**, la A y la E.

Polos de frutas tropicales

DIFICULTAD: baja
CANTIDAD: 6 unidades
TIEMPO: 10 minutos, más 4 horas de congelación

INGREDIENTES

- ½ taza de mango troceado
- 5 cucharadas de zumo de naranja
- 2 yogures de soja
- Una pizca de jengibre molido
- Un kiwi
- ½ taza de piña en almíbar
- ½ taza de papaya fresca
- Hojitas de menta
- Una cucharada de azúcar

ELABORACIÓN

Poner en la licuadora o en el recipiente en el que se vaya a triturar los trozos de mango junto con una cucharada de zumo de naranja, una cucharada de yogur de soja y una pizca de jengibre. Triturar la mezcla de modo que queden enteros algunos trozos de mango del tamaño de una lenteja. Verter la mezcla en dos moldes para polos y ponerlos en el congelador.

Cortar el kiwi en láminas muy finas. Disponerlas de forma vertical en dos moldes más y cubrirlas con el zumo de la piña en almíbar. Ponerlos a congelar en la nevera.

Triturar la papaya con la piña en almíbar y el resto del zumo de naranja, aromatizándola con unas hojitas de menta. Añadirle una cucharada de azúcar moreno y batir un poco más. Verter luego la mezcla en dos moldes y poner a congelar.

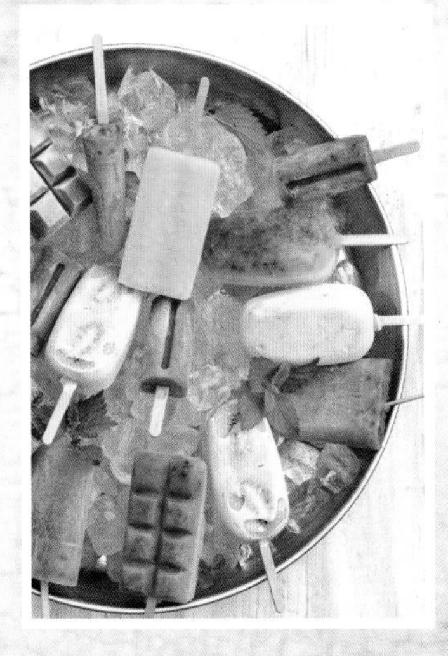

JUGANDO CON EL TIEMPO DE CONGELACIÓN, Y SUMERGIENDO EL POLO A MEDIO CONGELAR EN CALDOS DE DIFERENTES SABORES, SE CREAN POLOS DE MÚLTIPLES GUSTOS.

Las galletas son un **clásico** siempre útil en la despensa. Pueden ser la solución perfecta para elaborar desayunos, meriendas y tentempiés, o un buen **acompañamiento** para la hora del té o del café, sobre todo cuando hay **invitados** en casa.

Galletas de nueces y cereales

DIFICULTAD: baja
CANTIDAD: 20 unidades
TIEMPO: 15 minutos

INGREDIENTES

- Una cucharada de semillas de lino
- ½ taza de leche de arroz o de agua

- 1 y ½ tazas de copos de avena
- ½ taza de nueces picadas
- Una taza de muesli
- 3 o 4 cucharadas de melaza de arroz

ELABORACIÓN

Poner en un bol las semillas de lino y dejarlas remojando en la leche de arroz o en agua durante 20 minutos.

Una vez transcurrido ese tiempo, añadir al bol los copos de avena, las nueces, el muesli y la melaza de arroz.

Mezclar los ingredientes e irlos integrando con las manos hasta formar un bollo. Extender sobre una placa de horno una hoja de papel vegetal y encender el horno a 170 °C.

Tomar porciones de masa del tamaño de una nuez y aplanarlas con la palma de la mano sobre el papel vegetal. Una vez llena la placa, hornear entre 12 y 15 minutos.

ESTAS GALLETAS RESULTAN SECAS. PARA HACERLAS MÁS HÚMEDAS Y ESPONJOSAS AÑADIR A LA MASA UN PAR DE MANZANAS RALLADAS.

Términos usuales

ALMÍBAR. Jarabe hecho con azúcar disuelto en agua.

AMASAR. Unir los ingredientes sólidos y líquidos que componen una masa a fin de hacer un bollo compacto o trabajarlo para conseguir determinados resultados durante el horneado.

AZÚCAR GLAS. Azúcar molido a tamaño de polvo al que se añade un 2% de almidón.

AZÚCAR DEMERARA. Azúcar moreno natural, sin añadido de melaza.

AZÚCAR MORENO. Es un azúcar blanco recubierto por una melaza oscura procedente de una de las fases de refinamiento.

AZÚCAR MASCABADO. Azúcar integral de caña, no refinado. Su color es marrón oscuro y su textura, bastante pegajosa.

AZÚCAR CASTER. Azúcar blanco superfino, muy utilizado en las masas de bizcochos o en cremas en las que se necesita introducir aire.

BATIR. Remover con enérgicos movimientos circulares y ascendentes uno o varios ingredientes para que entre aire en el líquido o la masa que forman.

BOQUILLA. Cono de plástico o metal con el vértice cortado a distintos tamaños y formas o diseños, que se utiliza con la manga pastelera para dar forma a las cremas.

DECORAR. Adornar y embellecer una preparación culinaria.

ENGRASAR. Untar un molde, fuente de horno o papel con un elemento graso (margarina o aceite), para que la masa depositada sobre él no se pegue.

ESPELTA. Variedad del trigo con alto contenido en gluten que se emplea sobre todo para hacer pasta, pero también se usa para fabricar pan.

ESPOLVOREAR. Esparcir un ingrediente en polvo, pequeños granos, semillas o virutas sobre la superficie de una preparación culinaria.

FISALIS. Fruta exótica procedente de un arbusto solanáceo con una baya redonda, amarilla y dulce que queda cubierta por cinco sépalos secos.

GLACÉ. Solución de agua y azúcar glas que se emplea para abrillantar las preparaciones dulces.

GLASEAR. Cubrir una preparación con glacé.

KAMUT. Variedad del trigo muy antigua (procedente del antiguo Egipto) y rica en nutrientes.

KÉFIR. Producto que se obtiene de la mezcla de bacterias y levaduras beneficiosas para el organismo. Puede ser de leche o de agua.

MANGA. Colador de tela para afinar el filtrado.

MANGA PASTELERA. Cono de tela o plástico en cuyo vértice se coloca una boquilla. se emplea para distribuir y dar forma decorativa a las cremas.

MASA MADRE. Cultivo de las levaduras presentes en los cereales que sirve para fermentar el pan sin usar levadura comercial.

MELAZA. Jarabe que queda de la elaboración de los diferentes tipos de azúcar. Es un jugo que contiene muchas de las impurezas del jarabe de caña.

PAPEL VEGETAL. También llamado papel de horno o papel sulfurizado. Es un papel impermeable y resistente a las altas temperaturas que además evita que los ingredientes se peguen.

PROBIÓTICOS. Alimentos que contienen microorganismos vivos y que permanecen activos en el intestino.

QUINOA. Pseudocereal que se cultiva en el oeste de Sudamérica, sobre todo en Bolivia y Perú.

REMOVER. Mezclar suavemente los ingredientes de una preparación.

SIROPE DE AGAVE. Zumo vegetal dulce extraído de la planta del agave, una especie de cactus del desierto típico de América. Se utiliza como endulzante.

SALVADO. Cáscara del grano de los cereales molidos, sobre todo de las capas exteriores, muy rica en fibra.

SELLAR. Cerrar una masa para evitar que el relleno se salga o cerrar una forma en concreto (por ejemplo, las rosquillas).

TOFU. Producto comestible preparado con semillas de soja, agua y solidificante o coagulante.

Índice de americanismos

ACEITE. Óleo.
ALBARICOQUE. Damasco, albarcorque, chabacano.
ALFORFÓN. Alforjón, trigo sarraceno, fajol, trigo-haya.
ARROZ. Casulla, macho, palay.
AVENA. Quaker.
AZÚCAR GLAS. Azúcar glacé.
BIZCOCHO. Biscocho, galleta, cauca.
CALABAZA. Acocote, anco, zapallo, bulé, chaucha, auyama.
CAPA. Camada.
CHOCOLATE. Cacao, soconusco, sosonusco.
FISALIS. Uchuva.
FLAN. Budín, quesillo.
FRAMBUESA. Mora.
FRESA. Frutilla, mandroncillo.
GALLETA. Bizcocho, cauda, panké.
GARBANZO. Mulato, chicharro.
GIRASOL. Mirasol.
HARINA DE MAÍZ. Capi.
HUESO (DE FRUTA). Carozo.
JENGIBRE. Kion.
LEVADURA. Polvo de hornear.
LIMÓN. Acitrón, bizuaga.
MAÍZ. Cuatequil, capia, canguil, abatí.
MANTEQUILLA. Manteca.
MANZANA. Pero, perón.
MELOCOTÓN. Durazno.
MENTA. Hierbabuena, yerbabuena.
MERENGUE. Besito.
NUEZ. Coca, nuez de nogada.
NUEZ MOSCADA. Nuez coscada, macís.
OREJONES. Descarozados.
PANQUEQUE. Crep, crepa.
PASAS. Uva pasa, uva.
PATATA. Papa.
PIÑA. Ananá, abacaxí.
PLÁTANO. Banana, banano, camburé, cambur, guineo, pacoba.
QUINOA. Quinua, quínua, quinwa.
REMOLACHA. Betabel, beterrave, beterraca, betarraga.
RODAJA. Rueda, rebanada.
SÉSAMO. Ajonjolí.
ZANAHORIA. Azanoria.
ZUMO. Jugo.

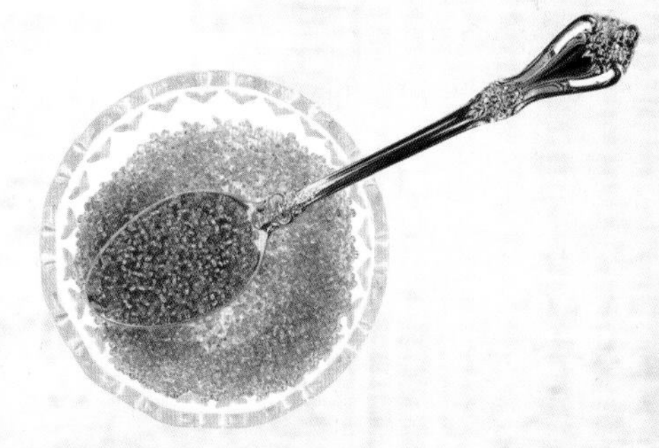

Ingredientes veganos

LECHE. Soja, almendras, kamut, arroz, amaranto, coco, avena, centeno,avellana, quinoa, alpiste.
NATA. Avena, arroz, soja, tofú.
NATA MONTADA. Nata de soja + leche de coco.
HARINA. Integral, trigo, maíz, alforfón, amaranto.
AZÚCAR. Stevia, panela, moreno molido, moreno integral.
SEMILLAS. Sésamo, amapola, amaranto, cebada, quinoa, algarroba.
ARROZ. Blanco, integral, vaporizado, arbori o carnaroli (ideales para arroz con leche).
MELAZA. Cebada, agave, maíz, arroz, trigo, algarroba, espelta, kamut, sorgo.
SIROPE. Arce, agave, manzana, azúcar coco.
CEREALES. Maíz, arroz, trigo, cebada, avena.
PSEUDOCEREALES. Sorgo, centeno, mijo, teff, alforfón (trigo sarraceno), amaranto.

Índice de recetas